KB051041

세계의 끝

세계의 끝

류츠신 지음
박미진 옮김

|주| 자음과모음

일러두기

본문 중의 각주는 모두 옮긴이의 주이다.

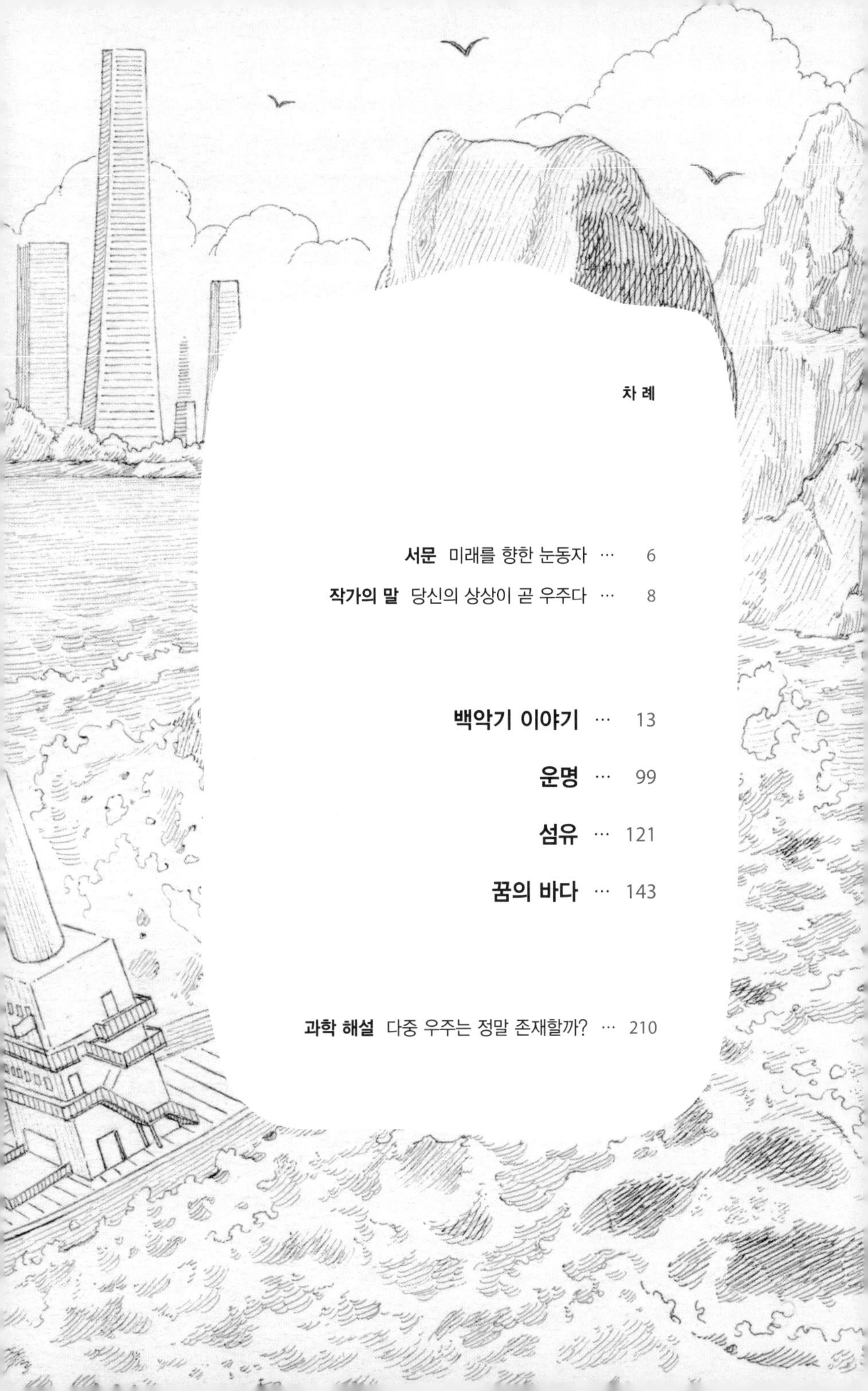

차 례

미래를 향한 눈동자

'류츠신 SF 유니버스' 시리즈에 과학 지식을 해설할 수 있어서 정말 영광이다. 해설을 쓰기 위해 글을 읽을 때마다 참으로 신선하고 기발하다는 생각이 들었다.

류츠신은 중국 SF 분야에서 독보적인 존재다. 물론 그가 집필한 『삼체』가 SF계의 노벨상이라 불리는 휴고상을 받았기 때문만은 아니다. 그의 작품은 확실히 남다른 데가 있다. 여타 SF와 달리 류츠신의 작품은 최신 물리 지식이 잘 반영돼 있고, 그 지식을 뛰어넘는 풍부한 상상력이 담겨 있다.

이미 많은 사람이 『삼체』에 관해 다양한 관점으로 해석하고 장점을 밝혔지만 사실 이 모든 장점은 류츠신이 집필한 다른 작품에서도 만날 수 있다. 이번 시리즈는 다채로운 이야기를 담고 있다. 만만치 않은 규모를 배경으로 설정하고, 시간과 공간의 상상을 다루기도 하며, 문명의 가능성을 이야기하거나 사랑을 주제로 하기도 한다.

류츠신의 작품을 한마디로 표현하자면 기발한 상상력과 독창적인 사고의 총집합이라고 할 수 있다. 그는 다양한 소재로 이야기를 만들 뿐만 아니라, 과학이 규정한 경계에 얽매이지 않고 공상에만 빠져 있지도 않다.

어떤 이들은 류츠신이 이야기는 잘 풀어 가지만 인물 묘사가 부족하다고 말하기도 한다. 작가 역시 자신의 단점을 모르지는 않을 것이다. 그러나 그는 소설 속에 등장하는 인물은 하나의 매개체일 뿐이며, 이야기 자체와 '어떤 사건이 미래에 일어날 가능성'을 더 중요한 문제로 생각하는 것 같다.

이야기에 나타난 것들 가운데 극히 일부는 진짜 우리의 미래로 나타날지도 모른다. 그러나 예언은 결코 공상 과학이 지향하는 목적이 아니다. 상상력을 자극하는 것이 공상 과학이 추구하는 목적 중 하나라면 나머지는 무엇일까? 그것은 바로 우리가 미래를 위해 최선을 다하고, 최악을 막기 위해 준비하는 것이라고 생각한다.

이론물리학자 리먀오

당신의 상상이 곧 우주다

2013년 12월, 달탐사위성 '창어 3호'의 발사를 보기 위해 시창 위성발사센터에 갔다. 나는 당시 시창으로 가는 비행기에서 초등학교 5학년 학생들을 만났다. 그 아이들도 나처럼 발사 현장으로 가는 길이었다. 발사가 끝나고 돌아가는 길에는 아까 그 학생들보다 더 어린 초등학교 1학년쯤으로 보이는 아이들을 만났다. 나는 이 아이들의 눈에서 새로운 일에 대한 흥분과 호기심, 그리고 미래에 대한 희망과 기대를 엿보았다.

1970년 4월, 허난성 루산현의 한 마을에서 어른, 아이 할 것 없이 다 함께 맑은 밤하늘을 바라본 적이 있다. 칠흑처럼 까만 하늘에 밝게 빛나는 작은 별 하나가 천천히 날아갔다. 그것은 중국이 최초로 쏘아 올린 인공위성 '둥팡훙 1호'였다. 날아가는 위성을 보고 있자니 알 수 없는 감정이 들었다. 우주를 향해 날아가는 인공위성이 다른 별들과 부딪힐까 걱정됐다. 몇 년이 지나서야 과학 책을 통해 위성과 다른 별들의 거리가 얼마나 멀리 떨어져 있는지 알았고, 웬만해선 우주 충돌 사고가 일어나지 않는다는 사실도 알았다. 어린 마음에 괜한 걱정에 빠져 있던 것이다.

시대가 많이 변했다. 요즘 아이들은 비행기를 타고 위성발사센터로 가지만 내 어릴 적 친구들은 신발조차 없었다. 하지만 나와 친구들 눈에도 새로운 세계에 대한 동경, 우주의 오묘한 비밀에 대한 호기심, 미래에 대한 희망과 기대가 가득했다. 이처럼 미래에 대해 기대와 희망을 품는 마음은 역사와 시간을 뛰어넘어 존재한다.

요즘 아이들은 수십 년 전 농촌 생활이 얼마나 폐쇄적이고 가난했는지 상상도 못 할 것이다. 내가 살았던 마을은 1980년대까지도 전기가 들어오지 않았다. 책이라고는 고작 부모님 침대 아래에 있던 상자 속에서 꺼내어 들춰 본 게 독서의 전부였다. 그 상자 안에는 쥘 베른이 쓴 『해저 2만 리』와 『십만개의 왜 그럴까요?』 등 SF와 과학 지식에 관한 책들이 있었는데 이 책들이 유년 시절의 창이 되어 농촌과 중국, 심지어 태양계를 벗어나는 상상을 하게 해 줬다. 이 책들 덕분에 나는 공상 과학에 흥미를 지니게 됐고 훗날 SF를 쓰는 작가의 길을 걷게 됐다.

공상 과학은 내 삶과 인생을 이끌었다. 그렇기 때문에 위성 발사를 보러 온 아이들에게 이번 경험이 그저 스쳐 가는 순간이 아니라는 것을 믿는다. 감동과 전율을 느낀 로켓 발사 장면과 최첨단 과학 기술을 대표하는 탐사 사업은 아이들 마음속에 과학의 씨앗이 되었으리라 믿어 의심치 않는다.

앞으로 10년이 지나고 20년이 지나면 그 아이들 중에 몇몇은 과학 연구의 길을 걸을 것이고, 우주 탐사를 하거나 다른 별에 인류의 문명을 세울지도 모른다. 이 책을 읽고 있는 아이들도 SF를 통해 과학에 흥미를 느끼고, 나처럼 일상생활에서 벗어난 흥미로운 상상을 할 수도 있다.

솔직하게 말하자면 지금까지 나는 청소년 독자가 아닌 성인 독자를 위한 SF를 써 왔다. 그래서일까. 출판사에서 청소년을 위한 SF를 제안받았을 때 어깨가 꽤 무거웠다. 청소년이 읽는 SF를 쓰려면 아이들이 지닌 독서 경향과 심리를 잘 알아야 하기 때문이다. 그런데 나는 이쪽으로는 창작 경험이 그다지 많지 않았다. 예전에 썼던 작품을 살펴보다 아이들이 읽기에 적합한 작품이 있다는 걸 알고는 몇 편을 골라 수정하며 처음으로 청소년을 위한 SF를 시도해 봤다. 때마침 리먀오 교수가 소설 속 과학 지식을 해설해 주셔서 매우 감사하고 영광이다. 저명한 이론 물리학자인 리먀오 교수가 열정적으로 도와준 덕분에 이번 시리즈가 과학적으로도 전문성을 갖출 수 있었다.

이번 시리즈를 출판하게 된 이유는 청소년들에게 과학을 쉽고 재미있게 알리기 위해서다. 그러나 소설 속에 나오는 과학은 상상을 더해 가며 가공한 것이기에 실제 과학 지식과 다를 수 있다. 어린 독자들이 이 시리즈를 통해 우리가 살고 있는 세상과 우주를 이해할 수 있기를 바란다.

류츠신

백악기 이야기

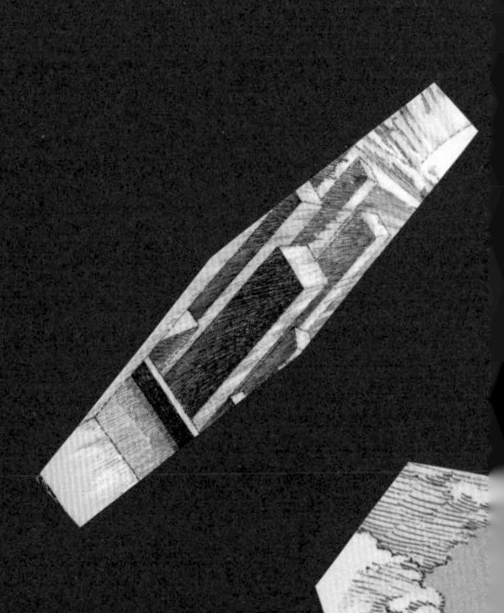

역사를 바꾼 우연한 사건

6500만 년 전, 백악기 후기의 어느 평범한 하루였다. 어느 날인지 분명하진 않지만 평범한 날이었던 것만은 확실하다. 그날 지구는 평온한 하루를 보내고 있었다.

그때는 각 대륙의 형태와 위치가 지금과 달랐다. 공룡은 주로 두 대륙에 분포하고 있었다. 그중 하나는 수억 년 전에 지구상에서 유일하게 모양을 갖춘 대륙이었던 곤드와나 대륙이었다. 곤드와나 대륙은 분할을 거치면서 면적이 크게 줄었지만 지금의 아프리카와 남아메리카를 합친 것만큼 컸다. 다른 하나는 로라시아 대륙으로 곤드와나 대륙에서 분열되어 나온 대륙이었다. 훗날 북아메리카가 된 곳이다.

그날 대륙의 모든 생명들은 생존을 위해 분주하게 움직였다. 미개한 세상을 살아가는 그들은 자신이 어디에서 왔는지도 몰랐고 또 어디로 가는지도 궁금하지 않았다. 백악기의 태양이 하늘 높이 솟아오르고 커다란 소철나무잎의 그림자가 가장 작게 움츠러들 때면 다들 어디서 오늘의 점심거리를 찾아야 할지만 골똘히 생각했다.

티라노사우루스 한 마리가 때마침 점심거리를 발견했다. 그는 곤드와나 대륙의 중간 지역에 위치한 어느 소철나무 숲 가운데, 햇빛이 찬란하게 쏟아지는 공터에 있었다. 점심은 갓 잡은 토실토실한 도마뱀이었다. 티라노사우르스는 필사적으로 버둥거리는 도마뱀을 커다란 두 앞 발톱으로 붙잡아 두 토막으로 찢어 버렸다. 그리고 꼬리 쪽을 입으로 던져 넣더니 맛이 아주 좋은 듯 우적우적 씹기 시작했다. 그 순간 그는 이 세상과 자신의 생활이 꽤나 만족스럽게 느껴졌다.

티라노사우루스의 왼발에서 1미터쯤 떨어진 곳에 작은 개미굴이 있었다. 대부분이 지하에 파묻혀 있는 개미굴 안에는 1,000마리쯤 되는 개미가 생활하고 있었다. 올해는 건기가 길어지는 바람에 지내기가 점점 더 힘들어졌다. 모두들 벌써 이틀이나 굶었다.

티라노사우루스는 도마뱀을 다 먹어 치운 후, 두어 걸음 뒤의 나무 그늘 아래에 만족스럽게 누워 낮잠을 즐겼다. 그가 바닥에 드러누운 순간 개미굴에는 어마어마한 지진이 일어났다. 땅 위로 올라온 개미들의 눈에 티라노사우루스의 몸은 마치 높디높은 산맥 같았다. 잠시 후 또 지진이 일어나고 산맥이 땅 위에서 이리저리 흔들렸다. 티라노사우루스는 앞 발톱을 입 안으로 집어넣고 거대한 이 사이를 마구 쑤셔 댔다. 개미들은 티라노사우루스가 잠들지 못하는 이유를 곧바로 알아챘다. 잇새에 도마뱀 고기가 끼어 견디기 힘들었던 것이다.

개미굴의 대장은 갑자기 좋은 생각이 났다. 그는 작은 풀 위로 올라가 아래에 있는 개미 떼에게 페로몬을 분비했다. 페로몬에 닿은 개미들은 모두 대장의 뜻을 이해하고 다시 페로몬을 분비해 이 소식을 멀리 퍼트렸다. 개미 떼가 더듬이를 흔들어 대자 흥분의 물결이 일었다. 이윽고 개미들은 대장을 따라 티라노사우루스를 향해 다가갔다. 땅바닥에는 까만 골짜기가 생겨났다.

잠시 후 개미들은 티라노사우루스의 앞 발톱을 목표로 기어오르기 시작했다. 티라노사우루스는 팔뚝 위의 개미 떼를 발견하고 다른 팔을 휘둘러 떼어 내려 했다. 그의 커다란 손바닥이 먹구름처럼 정오의 태양을 가리자, 개미 떼가 타고 오르던 너른 들판 같은 팔뚝이 별안간 어두워졌다. 개미들은 두려움에 차 공중의 커다란 손바닥을 바라보며 다급하게 더듬이를 움직였다. 그러자 대장이 곧바로 앞발을 들어 공룡의 입을 가리켰다. 다른 개미들 역시 대장의 모습을 따라 일제히 입을 가리켰다. 티라노사우루스는 잠시 어리둥절했지만 개미의 뜻을 이해할 것 같았다. 그는 잠시 생각하더니 들고 있던 팔을 내려놓았다. 들판 위로 구름이 걷히고 다시 해가 쨍쨍해졌다. 티라노사우루스는 큰 입을 쫙 벌리고 손톱 끝을 그의 이빨에 갖다 대어 팔뚝에서 이빨까지 통하는 다리를 만들었다. 개미들은 잠시 망설이다가 대장이 먼저 손톱 끝으로 다가가자 뒤를 따랐다.

한 무리의 개미들이 금세 손끝에 다다랐다. 그들은 반질반질한 원뿔 모양의 손톱 끝에 붙어 서서 경외심이 가득한 눈길로 공룡의 입 안을 살펴보았다. 마치 천둥, 번개와 소나기가 퍼붓기 직전의 캄캄한 밤 같았다. 피비린내에 절은 축축한 바람이 정면에서 불어오고, 끝없이 깊은 어둠 속에서는 쿠르릉 하는 소리가 들려왔다. 개미들의 눈이 어둠에 익숙해지자 저 멀리로 더 시커먼 곳이 흐릿하게 보였다. 그 주변은 끊임없이 움직이고 있었다. 개미들은 그것이 공룡의 목구멍이라는 것을 한참 만에 깨달았다. 쿠르릉 소리는 그곳에서 울려 나왔다. 검은 동굴의 깊은 곳, 바로 티라노사우루스의 위장 속에서 나온 소리였다.

질겁한 개미들은 얼른 눈길을 거두고 손톱 끝에서 공룡의 이빨로 잇달아 올라탔다. 그리고 하얗고 매끄러운 이빨 절벽을 따라 아래로 미끄러져 내려갔다. 넓은 잇몸에 도착한 개미들은 잇새에 낀 도마뱀의 분홍색 살점을 힘센 양턱으로 물어뜯기 시작했다. 티라노사우루스가 손톱 끝을 윗니 쪽에 갖다 대자 뒤따라온 개미들도 잇새로 들어가 고기를 뜯어 먹었다. 윗니와 아랫니는 거울로 비춘 듯 똑같은 모습이었다. 여남은 개의 이빨 사이로 개미 1,000여 마리가 바쁘게 돌아다닌 결과, 티라노사우루스의 이빨 사이에 끼어 있던 고기는 금세 말끔히 제거됐다.

티라노사우루스는 이빨 사이에서 느껴지던 불쾌감이 사라졌다. 그러나 그는 아직 '고마워'라는 말을 할 수 있는 단계까지 진화하지 못했다. 그저 후련한 듯 한숨을 내쉴 뿐이었다. 갑자기 불어온 허리케인 같은 바람이 이빨 사이를 지나며 개미들을 밖으로 날려 보냈다. 개미 떼는 새까만 먼지처럼 공중으로 휘날렸다. 몸이 가벼운 그들은 모두 티라노사우루스의 머리에서 1미터 정도 떨어진 곳에 무사히 안착했다. 배불리 먹은 개미들은 만족스럽게 개미굴로 돌아갔고, 잇새의 찝찝함이 사라진 티라노사우루스 역시 시원한 나무 그늘 아래에서 편안하게 잠이 들었다.

지구가 천천히 돌고 태양이 소리 없이 서쪽으로 미끄러져 내리자 소철나무의 그림자가 조금씩 길어졌다. 숲 사이로 나비와 날벌레가 평화롭게 날고, 먼바다에서 몰려온 파도가 곤드와나 대륙의 해안가를 때렸다.

아무도 몰랐다. 이 고요한 순간에 지구의 역사가 다른 방향으로 틀어졌다는 것을.

백악기 문명에 닥친 위기

시간은 쏜살같이 흘러 5만 년이 지났다.

공룡과 개미의 공생관계는 계속 이어졌다. 두 종은 함께 백악기 문명을 창조했다. 그리고 석기, 청동기, 철기, 증기기관, 전기, 원자력 시대를 거쳐 이제 정보화 시대에 접어들었다.

공룡은 각 대륙에 거대한 도시를 건설했다. 도시에는 1만 미터가 넘는 높은 빌딩들도 있다. 빌딩 꼭대기에서 내려다보면 상공에 떠 있는 비행기에서 보는 것처럼 구름층이 거의 바닥에 들러붙은 것처럼 보일 정도였다. 우뚝 솟아오른 초고층 빌딩의 아래쪽에 구름이 빽빽하게 들어차면, 맑은 하늘 위에 있는 꼭대기층의 공룡은 맨 아래층에 있는 경비원에게 전화를 걸었다. 아래쪽에 비가 내리는지를 묻고서 퇴근할 때 우산을 가지고 나가야 할지 결정했다.

우산도 무지막지하게 커서 거의 서커스단 천막만 했다. 자동차는 인류의 건물 한 채만큼 커서 움직이면 땅이 진동했다. 비행기는 인류의 대형 선박만 해서 광활한 하늘을 천둥처럼 뒤흔들고 땅 위로 거대한 그림자를 드리웠다. 공룡은 우주탐험까지 성공하며 정지궤도*상에서 수많은 위성과 우주선을 운행했다. 이 우주선들 역시 너무나 거대해서 그 모습이 땅에서도 보일 정도였다. 공룡의 세계는 거대하고 복잡한 컴퓨터 네트워크로 연결됐는데, 키보드 위의 버튼 하나가 인류의 모니터만큼 크고 모니터는 인류의 벽만큼 넓었다.

이와 동시에 개미 세계 또한 선진 정보화 시대로 접어들었다. 개미 세계의 에너지원은 공룡 세계와는 완전히 달랐다. 그들은 석유와 석탄을 사용하지 않고 풍력과 태양에너지를 모았다. 개미 도시에는 수많은 풍력발전기가 있는데 모양과 크기가 인간의 아이들이 가지고 노는 바람개비와 비슷했다. 도시의 건축물은 모두 반들반들한 검은색 재료로 지어졌다. 바로 태양전지였다. 개미 세계의 또 다른 중요한 기술은 생물공학으로 만들어낸 동력 근육이었다. 이 동력 근육은 두꺼운 케이블같이 생겼고 영양액을 주입하면 늘었다 줄었다 하며 동력을 생산했다. 개미

* 지구의 자전 속도와 같은 주기로 지구 주변을 도는 위성의 궤도. 지구에서 보면 위성이 항상 같은 자리에 있는 것처럼 보인다.

의 자동차나 비행기의 엔진은 모두 동력 근육으로 이루어져 있었다.

또 개미에게도 컴퓨터가 있었다. 전부 쌀알만 한 크기의 동그란 알갱이였다. 공룡의 컴퓨터와 달리 집적회로가 전혀 없고 모든 계산을 복잡한 유기화학 반응으로 완성해 냈다. 그리고 모니터 없이 화학적 냄새로 정보를 출력했다. 이 극도로 복잡하고 정밀한 냄새 체계는 개미만이 구분해 낼 수 있었다. 개미의 감각은 이 냄새를 데이터, 언어 그리고 이미지로 변환해 냈다. 이 알갱이 모양의 화학 컴퓨터 역시 거대한 네트워크로 서로 연결되어 있었다. 다만 공룡 세계와 다른 점은 그들 간의 연결이 광섬유나 전파가 아닌 화학적 냄새를 통해 이루어지고, 컴퓨터끼리 냄새어로 정보를 교환한다는 것이다.

개미 사회의 구조는 오늘날 인류 주변의 개미 무리와는 크게 달랐고 오히려 우리 인류 사회와 더 비슷했다. 또 생물공학으로 새끼를 잉태했기 때문에 여왕개미가 번식에 미치는 영향은 정말 보잘것없는 수준이 됐다. 그래서 여왕개미는 오늘날 개미 사회의 여왕개미와 같은 지위와 중요성을 갖지 못했다.

개미와 공룡, 두 세계는 상호 의존적 관계를 이룩했다. 팔다리가 크고 굼뜬 공룡은 개미의 섬세한 기술에 의존해야만 했다. 공룡 세계의 모든 공장에서는 엄청나게 많은 개미들이 일했다.

그들은 주로 공룡 노동자들이 해낼 수 없는 작은 부속품의 제조나 정밀 기기의 조작, 유지 보수 등을 도맡아 했다. 개미가 공룡 사회에서 중요한 역할을 하는 또 다른 분야는 바로 의학이었다. 공룡에게 하는 모든 수술은 개미 의사가 직접 그들의 거대한 장기로 들어가 실시했다. 개미들은 초소형 레이저메스, 공룡의 혈관 내부에 들어가 청소할 수 있는 소형 잠수정 등을 포함한 정밀한 의학 설비를 다수 보유하고 있었다.

곤드와나 대륙의 개미 제국은 각 대륙의 미개한 개미 부락을 점차 하나로 모았다. 그리고 전 지구를 뒤덮은 개미들의 세계를 개미 연방이라는 이름으로 통일했다. 개미 세계와는 반대로 원래 하나였던 공룡 제국에서는 분열이 생겼다. 로라시아 대륙에 있던 공룡들이 독립해 로라시아 공화국이라는 거대한 공룡 국가를 또 하나 건립한 것이다. 수천 년의 세력 다툼 끝에 곤드와나 제국은 지금의 인도, 남극, 오스트레일리아를 차지했고, 로라시아 공화국은 영역을 지금의 아시아와 유럽까지 확장했다.

양쪽이 영토를 확장하는 긴 역사 속에서 끊임없이 전쟁이 발발했지만 최근 200년, 원자력 시대를 맞이하자 전쟁이 멈추었다. 모두 핵으로 인한 위협의 결과였다. 두 대국이 보유한 어마어마한 핵무기는 전쟁이 발발하면 지구를 생명 따위 찾아볼 수 없는 방사성 용광로로 만들어 버릴 수준이었다. 함께 멸망할 수 있다는 공포 때문인지 백악기 지구는 바늘 끝에 서 있는 것처럼 아슬아슬한 평화를 유지하는 중이었다.

시간이 흐르면서 공룡 사회는 급격하게 팽창했다. 그들의 숫자가 급속도로 늘어나자 각 대륙은 점점 비좁아졌고, 환경오염과 핵전쟁의 위협도 나날이 심각해졌다. 개미 세계와 공룡 세계 사이에도 균열이 생겨 백악기 문명은 불길한 그림자로 뒤덮이기 시작했다.

방금 막을 내린 올해의 공룡-개미 정상회담에서 개미 세계는 공룡 세계에 모든 핵무기 소각, 환경보호, 공룡 수 증가 억제 등에 단호한 조치를 취해 달라고 요구했다. 그러나 요구는 거절당했고 백악기 개미들은 전면파업에 돌입했다.

개미 총파업

곤드와나 제국의 수도, 구름 위로 높이 솟은 황궁 내 널찍한 블루홀의 큰 소파에 다다쓰 황제가 드러누워 있었다. 황제는 커다란 팔로 왼쪽 눈을 가리며 괴로운 듯 자꾸만 신음 소리를 냈다. 공룡 몇 마리가 황제를 둘러싸고 서 있었다. 국무 대신 바바터, 국방 대신 뤄뤄자 총사령관, 과학 대신 니니칸 박사, 의료 대신 웨이웨이커 선생이었다.

의료 대신이 몸을 굽히며 황제에게 말했다.

"폐하, 왼쪽 눈에 염증이 생겼습니다. 수술이 급하나 지금 안과 수술이 가능한 개미 의사를 찾을 수가 없어 항생제를 써서 유지하는 방법밖에 없습니다. 이대로 가다가는 실명의 위험이 있을 것입니다."

"이런 쳐 죽일!"

황제가 이를 부득부득 갈면서 소리치고는 이어서 의료 대신에게 물었다.

"온 나라의 병원에 개미 의사가 하나도 없단 말이냐?"

의료 대신이 고개를 끄덕였다.

"그렇습니다, 폐하. 수술이 필요한 수많은 환자들이 치료를 받지 못해 이미 공황 상태입니다."

"그게 다는 아니겠지."

황제가 국무 대신을 돌아보며 이야기하자 국무 대신이 허리를 숙이며 답했다.

"당연합니다, 폐하. 지금 온 나라 안에 3분의 2나 되는 공장에서 작업을 중단했고 몇몇 도시는 전기까지 끊겼습니다. 로라시아 공화국도 별다를 것 없는 상황입니다."

"공룡들이 조작할 수 있는 기기와 생산 라인까지 멈추었는가?"

"그렇습니다, 폐하. 예를 들어 자동차 제조와 같은 제조업은 세밀한 부품을 만들어 내지 못하면 공룡들이 생산한 큰 부품이 있어도 사용 가능한 완제품으로 조립할 수가 없습니다. 그런 연유로 생산을 모두 중지했습니다. 화학공학과 발전 같은 공업 분야에서는 개미들의 파업이 처음에는 그다지 큰 영향을 미치지 못했습니다. 그러나 나중에는 설비 고장이 증가하면서 유지 보수 작업 또한 이를 따라가지 못해 마비된 공장이 갈수록 많아졌습니다."

황제가 길길이 날뛰며 노발대발했다.

"못난 놈들! 그래서 공룡-개미 정상회담이 끝나자마자 명령했거늘. 전국적으로 긴급 훈련을 실시해서 개미들이 하던 정교한 작업을 공룡 노동자들이 조금씩 맡도록 조치하라고 했지 않았는가!"

"폐하, 이는 거의 불가능한 일입니다."

"위대한 곤드와나 제국에 불가능이란 없다! 제국의 유구한 역사 속에 곤드와나 공룡들은 이보다 더 큰 위기도 겪었다. 수많은 적과 맞서 싸우면서도 늘 승리를 거두었지. 모든 대륙의 숲을 깡그리 태워 버린 큰불도 몇 번이나 겪고, 지각운동 후에 마그마가 흘러넘친 대지에서도 계속 살아남았다."

"그러나, 폐하. 이번은 다릅니……."

"무엇이 다른가? 꾸준히 배우고 단련하면 공룡도 솜씨 좋은 손을 가질 수 있다! 우리 공룡 세계가 그런 작은 벌레 놈들의 협박 따위에 굴복할 수는 없어!"

"제가 보여 드리겠습니다. 이것이 얼마나 어려운 일인지……."

국무 대신이 이렇게 말하며 팔을 벌려 빨간 전선 두 가닥을 소파 위에 놓았다.

"폐하, 기기 설비를 고치는 데 가장 기본이 되는 동작을 한번

해 보시겠습니까? 이 두 전선을 이어 보십시오."

황제의 손가락은 길이가 족히 50센티미터는 되었고 굵기는 찻잔보다도 굵었다. 그의 눈에 직경이 3밀리미터인 전선 두 가닥은 인간이 자신의 머리카락을 볼 때보다 더 가늘게 보였다. 황제는 온 힘을 다해 웅크리고는 두 눈을 소파 위에 바짝 갖다 대고 전선 두 가닥을 집으려 했다. 손가락에 달린 투박한 원뿔형 손톱은 대포알처럼 반질반질했다. 몇 번이나 전선을 집어 들었지만 계속해서 미끄러졌다. 전선의 피복을 벗기고 연결하는 작업은 두말할 필요도 없었다. 황제가 한숨을 쉬며 짜증 난다는 듯 전선을 땅바닥에 내동댕이쳤다.

"결국 선을 잇는 미세한 기술을 익히더라도 수리 작업을 할 수 없는 것이, 개미들만 드나들 수 있는 정밀 기기 속으로 이 투박한 손가락을 집어넣을 수가 없습니다."

"아……."

과학 대신이 길게 탄식했다.

"일찍이 800년 전, 선황께서는 개미의 미세한 조작 기술에 의존하면서 생길 공룡 세계의 위험에 대해 아시고 큰 노력을 기울이셨습니다. 새로운 기술과 설비를 연구해 이런 의존에서 벗어나고자 하셨지요. 외람된 말씀이오나, 폐하께서 재위하신 두 세기 동안은 이런 노력이 거의 없었습니다. 우리 공룡은 개미들이 만들어 준 온상 위에 아주 편안하게 누워만 있었던 것입니다. 위험을 경계하고 조심하는 것은 완전히 잊고 말입니다."

"짐은 누구의 온상에도 눕지 않았다!"

황제가 두 팔을 번쩍 들고 분노에 차서 말했다.

"사실 선황이 예견하셨던 위험은 짐도 악몽에서 무수히 보았다."

황제는 굵직한 손가락 끝을 과학 대신의 앞가슴에 갖다 댔다.

"그러나 이것을 알아야 할 것이야. 기술 의존에서 벗어나려 했던 선황의 노력은 실패했기 때문에 중단된 것이다. 이는 로라시아 공화국도 마찬가지야!"

"그렇습니다, 폐하!"

국무 대신이 머리를 조아리더니 땅바닥에 떨어진 전선을 가리키며 과학 대신에게 말했다.

"박사, 모르지 않을 것이오. 공룡이 전선을 잇는 작업을 순조롭게 하려면 두께가 적어도 10~15센티미터는 되어야 할 거요! 설령 그렇게 굵게 만든다고 해도 나뭇가지만큼 두꺼운 전선이 감겨 있는 휴대전화나 컴퓨터를 쓴다는 건 상상도 할 수 없지요. 이와 마찬가지로 공룡이 조작하고 고치려면 기기 설비 대부분을 지금보다 100배, 심지어 수백 배는 크게 만들어야 할 겁니다. 그러면 자원과 에너지 소모도 응당 지금의 수백 배가 될 것

인데 공룡 세계의 경제 규모로는 결코 감당할 수가 없어요!"

과학 대신이 고개를 끄덕거리며 국무 대신의 말에 동의했다.

"그렇습니다. 그리고 더 큰 일은 어떤 설비 부품은 아예 대형화할 수 없다는 것입니다. 광학이나 전자파 통신 설비는 광파가 포함된 전자파 파장을 이용하기 때문에 이를 만들고 처리하는 부품은 무조건 작아야 합니다. 초소형 부품이 없으면 컴퓨터와 인터넷이 어떻게 존재하겠습니까? 분자생물학, 유전자공학의 연구와 생산 분야도 이와 유사합니다."

의료 대신이 이어서 말했다.

"의료 분야도 개미와 떼려야 뗄 수 없습니다. 그들이 없는 공룡의 외과 수술은 상상조차 할 수 없어요."

과학 대신이 결론을 지었다.

"공룡-개미 연맹은 대자연의 진화 과정에서 일어난 선택이며 그 의의가 대단히 큽니다. 이 연맹이 없었다면 지구상에 문명이라는 것이 출현하지 못했을 겁니다. 우리는 개미들이 이 연맹을 파괴하는 것을 절대 용납해서는 안 됩니다."

"그러면 어찌하는 것이 좋단 말인가?"

황제가 팔을 펼치며 모두에게 물었다. 그러자 계속 침묵을 지키고 있던 국방 대신이 말했다.

"폐하, 개미 연방이 우세를 점했다고는 하나 우리에게는 힘이 있습니다. 개미 세계의 도시는 우리 아이들의 블록 장난감보다도 작으니 오줌만 누어도 쓸어 버릴 수 있습니다! 제국은 이런 힘을 이용해야 합니다."

황제가 고개를 끄덕이며 국방 대신에게 말했다.

"좋아. 개미 도시 몇 군데를 섬멸해서 개미들에게 경고가 될 행동 방안을 수립하라고 총참모부에 명령하게!"

"네, 알겠습니다."

"총사령관."

국무 대신이 밖으로 나가려는 국방 대신을 붙잡았다.

"우선 로라시아와 잘 협조하는 것이 관건이오."

"그렇지!"

황제가 고개를 끄덕였다.

"그들과 함께 행동해야 하네. 뒤뒤미 총통이 개미 연방을 로라시아 편으로 끌어들이지 못하도록 말이야."

비밀 전쟁 계획

"우리 도시가 셋이나 망가지며 더 큰 손실을 피하기 위해 개미 연방은 잠시 파업을 중단하고 공룡 세계의 일터로 돌아갔습니다. 이제 확실해졌어요. 개미가 공룡을 없애 버리든지 아니면 지구 문명 전체가 함께 멸망하는 겁니다!"

개미 연방의 최고 집정관인 카치카가 연단 위에서 의원들에게 이야기했다.

"저는 집정관의 의견에 동의합니다."

참의원 비루비가 자신의 자리에서 더듬이를 흔들며 말했다.

"지금처럼 가다가는 지구 생태계에는 두 가지 운명밖에 남지 않을 겁니다. 공룡들의 대규모 공장에서 발생한 오염에 의해 완전히 독극물화 되거나 곤드와나와 로라시아, 두 공룡 대국 간의 핵전쟁으로 완전히 파괴되는 것이죠!"

그들의 말에 개미 의원들이 격하게 흥분했다.

"맞아요, 마지막 결정을 내릴 때입니다!"

"공룡을 없애고 지구 문명을 구해야 해요!"

"움직입시다! 행동합시다!"

"모두들 진정하세요!"

개미 연방의 수석 과학자 차오예 박사가 더듬이를 흔들며 소란을 잠재웠다.

"이걸 알아야 합니다. 개미와 공룡의 공생관계는 벌써 5만 년이나 이어져 왔어요. 공룡-개미 연맹은 지구 문명의 기초이고 당연히 개미 문명의 기초이기도 합니다. 이 연맹이 갑자기 깨지고 그중 한쪽인 공룡 문명이 사라진다면 개미 문명이 정말 스스로 존재해 나갈 수 있을까요?

모두들 아시다시피 공룡-개미 연맹을 통해 공룡이 개미에게서 얻어 가는 것은 언제나 아주 명확하고 구체적인 것들입니다. 그런데 개미들이 공룡에게서 얻는 것은 기초적인 생활 물자 외에 무형의 것들도 있지요. 바로 그들의 사상과 과학 지식입니다. 개미 문명에게는 후자가 더욱 중요합니다. 우리는 훌륭한 기술자가 될 순 있지만 과학자는 절대 될 수 없어요! 우리 개미들 뇌의 생리적 구조로는 공룡이 가진 두 가지를 영원히 가질 수가 없거든요. 바로 호기심과 상상력입니다."

비루비는 그렇지 않다는 듯 고개를 저었다.

“호기심과 상상력? 아니, 박사, 그게 좋은 거라고 생각하는 겁니까? 바로 그 두 가지가 공룡을 제정신이 아니게 만들었단 말입니다. 시도 때도 없이 기분이 바뀌고 변덕이 죽 끓듯 하니 하루 종일 헛된 꿈이나 꾸면서 시간을 낭비하잖소.”

“하나, 참의원, 바로 그런 변덕과 엉뚱한 생각이 영감을 불러일으키고 창조로 이어지는 것입니다. 그것이 우주의 심층적인 법칙을 찾는 이론 연구를 가능하게 하고 이는 또 기술 진보의 기초가 되지요.”

“알았소, 알았소…….”

카치카가 성가시다는 듯 차오예의 말을 끊어 버렸다.

“지금 이런 지루한 과학 토론이나 하고 있을 때가 아닙니다. 박사, 지금 개미 세계가 직면한 문제는 딱 한 가지예요. 공룡을 없앨 겁니까, 아니면 그들과 함께 멸망할 겁니까?”

차오예는 대답할 말이 없었다. 곧이어 카치카는 총사령관 뤄례를 향해 고개를 끄덕였다.

뤄례가 연단 위로 올라섰다.

“제가 여러분께 한 가지 물건을 보여 드리려고 합니다. 이것은 우리가 공룡에 의존하지 않고 개발한 극히 사소한 기술입니다.”

뤄례가 눈짓을 하자 개미 두 마리가 종이처럼 보이는 얇디얇은 하얀 이파리 조각 같은 물체를 가져왔다. 이어서 뤄레는 그 물체를 소개했다.

“이것은 개미의 가장 전통적인 무기, 폭발 입자의 새로운 모델입니다. 이 납작한 입자는 연방의 군사기술자들이 최후의 전쟁을 위해서 연구 제작한 겁니다.”

뤄레가 더듬이를 휘두르자 개미 네 마리가 전선 두 가닥을 날랐다. 공룡의 기기에 가장 자주 쓰이는 것으로 한 가닥은 빨간색, 다른 한 가닥은 녹색이었다. 그들은 이 전선 두 가닥을 받침대 위에 올려놓았다. 그리고 하얀 폭발 입자 두 조각을 각각 전선의 가운데에 감았다. 전선에 단단히 들러붙은 작은 조각은 마치 반창고처럼 보였다.

이어서 신기한 일이 일어났다. 하얗게 보이던 두 입자의 색깔이 각각 들러붙은 전선과 같은 색으로 변한 것이다. 하나는 빨간색으로, 하나는 녹색으로 바뀐 입자는 재빠르게 전선과 어울려 하나가 됐다. 도저히 분간해 낼 수가 없을 정도였다.

카치카가 말했다.

“이게 바로 연방의 최신 무기, 변색 폭발 입자입니다. 일단 어딘가에 붙이고 나면 공룡들은 절대로 발견해 내지 못하지요.”

잠시 후 입자에서 폭발이 일었다. 빠지직빠지직 하는 소리가 울리며 전선 두 가닥이 아주 깔끔하게 절단됐다.

"때가 되면 연방에서는 1억 마리 개미로 조직된 대군을 출동시킬 겁니다. 일부는 이미 공룡 세계에서 일을 하고 있고 일부는 공룡 세계로 침입하는 중입니다. 이 대군이 공룡의 기기 내부에 있는 전선에 폭발 입자 2억 조각을 붙이는 것이지요. 우리는 이 작전을 전선 공격작전이라고 부를 겁니다."

"와, 정말 굉장한 계획입니다!"

비루비가 감탄하자 의원들이 맞장구쳤다.

"함께 진행할 다른 작전도 마찬가지로 굉장하지요. 연방에서 2,000만 마리 개미로 조직된 대군을 출동시킵니다. 그들이 500만 공룡의 머리에 침투해 대뇌 주 혈관에 폭발 입자를 붙이는 겁니다. 이 500만 마리 공룡은 지구상에 있는 수십 억 공룡 중에서 가려낸 엘리트 집단입니다. 국가 지도층, 과학자, 주요 기관의 기술자와 종사자를 포함하지요. 이 공룡들을 제거하면 공룡 세계는 뇌를 잃은 것이나 다름없습니다. 그래서 우리는 이 작전을 두뇌 공격작전이라고 부를 겁니다."

카치카가 이어서 말했다.

"두 작전의 하이라이트는 공룡 세계를 한날한시에 공격한다는 것이죠. 공룡 세계의 기기에 붙인 입자 2억 조각, 공룡의 뇌에 붙인 입자 500만 조각은 동시에 폭발할 겁니다! 오차가 1초도 있어서는 안 되지요! 공룡 세계는 서로 도움을 받을 수 없고 서로의 역할을 대신할 수도 없을 겁니다. 모든 공룡 사회가 망망대해에서 바닥이 뚫린 배처럼 순식간에 가라앉는 것이에요! 그때 우리는 진정한 지구의 통치자가 되는 겁니다."

"존경하는 카치카 집정관님, 저희에게 그 위대한 순간이 구체적으로 언제인지 알려 주실 수 있나요?"

비루비가 흥분되는 마음을 겨우 억누르며 물었다.

"모든 입자가 폭발하는 시간은 한 달 뒤 오늘, 자정입니다."

개미들이 환호성을 질렀다.

차오예는 더듬이를 필사적으로 흔들며 개미들을 조용히 시키려고 했다. 그러나 환호성은 계속됐다. 차오예가 소리를 버럭 지르자 모두 입을 다물고 그를 바라봤다.

"그만하시오! 모두들 미쳤습니까? 공룡 세계는 아주 거대하고 복잡한 시스템으로 이루어졌어요. 이 시스템을 한순간에 붕괴시킨다면 우리가 예측도 못 할 결과가 일어날 겁니다!"

"박사, 공룡 세계의 파멸과 개미 연방의 최종 승리 외에 어떤 결과가 더 있을지 모두에게 이야기해 줄 수 있소?"

카치카가 물었다.

"말했잖아요. 예측도 할 수 없다고요!"

"또 시작이군요. 공붓벌레 양반, 그것도 이제 질렸소."

비루비의 말에 다른 의원들 역시 차오예가 모두의 흥을 깨트렸다는 사실에 잇따라 불만을 표시했다.

뤄례가 다가와 앞다리로 차오예를 툭툭 쳤다. 뤄례는 침착한 개미였고 조금 전 환호성을 지르지 않은 몇 안 되는 개미 중 하나였다.

"박사, 당신의 우려를 이해합니다. 사실 나도 그런 걱정을 한 적 있어요. 공룡의 핵무기를 제어하지 못하는 것이 가장 걱정될 테지요. 그렇지만 걱정 마시오. 평소 두 공룡 대국의 핵무기 시스템을 전부 공룡이 제어하고 유지 보수도 엄격한 감독 아래에서 진행했지만, 개미 특수부대에게 그 내부로 들어가는 것은 전혀 어려운 일이 아닙니다. 핵무기 제어판에는 폭발 입자를 다른 곳의 두 배로 설치할 겁니다. 그 순간이 지나고 나면 핵무기 제어 시스템은 다른 시스템과 똑같이 완전히 마비될 테니 더 큰 재앙이 생기지는 않을 거예요."

차오예가 한숨을 내쉬었다.

"총사령관님, 일이 생각보다 복잡합니다. 문제는 바로 이거예요. 우리는 정말로 공룡 세계에 대해서 잘 알고 있습니까?"

이 물음은 모두를 어리둥절하게 만들었다. 카치카가 차오예를 보며 말했다.

"박사, 개미는 공룡 세계의 구석구석까지 두루 퍼져 있어요. 심지어 1만 년 동안이나 그러했단 말이오! 그런데 어떻게 그런

어리석은 질문을 할 수 있지요?"

차오예가 더듬이를 천천히 흔들었다.

"개미와 공룡은 너무나도 다른 종입니다. 완전히 다른 두 세계에서 살고 있다고요. 공룡 세계에는 개미가 전혀 모르는 거대한 비밀이 숨어 있을 거라는 직감이 듭니다."

"그게 무엇인지 구체적으로 이야기하지 못한다면 그 말은 못 들은 걸로 하겠소."

비루비가 전혀 그렇지 않다는 듯 단호하게 이야기하자 차오예가 곧바로 말을 이었다.

"그런 이유로 정보를 수집할 조직을 꾸려 주시기 바랍니다. 구체적인 계획은 이렇습니다. 공룡의 뇌에 폭발 입자를 설치하는 동시에 그들의 달팽이관에 도청기를 설치하는 거지요. 도청 장치가 보내오는 정보를 듣고 분석하는 부서는 제가 지휘하겠습니다. 하루라도 빨리 우리가 알지 못하던 것을 발견해 낼 수 있도록 말이죠."

공룡 황제의 악몽

통신 빌딩은 메갈리스 시티의 데이터 네트워크 메인 센터로 수도를 비롯한 전국의 데이터 처리와 교환 업무를 맡고 있었다. 곤드와나 제국에는 이런 네트워크 센터가 100여 개 이상 있었고 그 센터들은 제국의 방대한 정보 네트워크의 바탕이 됐다.

한 개미 부대가 빌딩의 서버 내부로 들어갔다. 100여 마리 정도로 이루어진 부대였다. 그들은 다섯 시간 전에 급수관을 따라 통신 빌딩으로 잠입해 미세하게 갈라진 바닥 틈으로 서버실에 들어갔다. 그리고 환풍구를 통해 서버 내부까지 침투했다. 공룡들을 위한 거대한 건물과 기기들 사이에서 개미가 가지 못할 곳은 없었다.

공룡이 다가오는 소리가 들리자 개미들은 자신들의 축구장보다 큰 메인보드에 재빨리 숨었다. 캐비닛이 열리는 소리가 들려 메인보드의 작은 구멍을 통해 밖을 바라보니 커다란 돋보기가 하늘을 뒤덮고 있었다. 돋보기 렌즈에 공룡 기술자의 거대한 눈알이 왜곡되어 나타났다. 개미들은 너무 무서워 온몸이 벌벌 떨렸다. 하지만 다행히도 공룡은 그들을 발견하지 못했다. 공룡 기술자는 조금 전 개미들이 설치한 수십 개의 폭발 입자도 발견하지 못했다. 그 조그맣고 얇은 조각은 전선과 혼연일체가 되어 쉽게 식별해 낼 수 없었다.

개미들은 색깔과 두께가 각각 다른 전선 가닥에 얇은 폭발 입자를 전부 붙였다. 회로기판에는 더 얇은 폭발 입자를 몇 조각 붙였다. 이 입자는 고급 변색 기능이 있어서 바탕색에 따라 같은 입자 안에서도 다른 색이 나타났다. 그래서 감쪽같이 회로기판과 똑같은 색깔로 변했고 전선에 붙인 입자보다 더 발견해 내기가 어려웠다. 이 입자는 폭발하진 않지만 설정한 시간이 되면 강력한 산이 흘러나와 회로기판을 녹여 버릴 것이다.

캐비닛 문이 닫히고 서버 안의 세계는 캄캄한 밤이 됐다. 전원 표시등만이 푸른 달빛처럼 공중에 매달려 있었다. 윙윙 도는 냉각 팬 소리와 가볍게 삐빅 하는 메인보드 소리는 오히려 고즈넉함을 더해 주었다.

얼마 지나지 않아 빌딩의 모든 서버에 폭발 입자가 부착됐다. 광활한 바깥 세계의 각 대륙에서 1억 마리가 넘는 개미들이 공룡 세계의 무수한 기기에 똑같은 작업을 하고 있었다.

이날 밤 곤드와나 제국의 황제 다다쓰는 악몽을 꾸었다. 새까맣게 모인 개미 한 무더기가 콧구멍을 타고 자신의 몸으로 들어왔다가 다시 입으로 줄지어 나왔다. 밖으로 나온 개미들은 모두 입에 무엇인가를 물고 있었다. 그것은 자신의 몸에서 뜯어낸 내장이었다. 개미들은 그 조각들을 버리고 다시 콧구멍으로 들어갔다. 그렇게 쉬지 않는 행렬이 되풀이됐다.

다다쓰가 괜히 그런 꿈을 꾼 것은 아니었다. 다다쓰가 꿈을 꾸고 있을 때 정말로 개미 두 마리가 그의 콧구멍으로 들어갔기 때문이다. 병정개미 두 마리는 대낮에 침실로 잠입해 베개 아래에 숨어 기회를 엿보고 있었다. 그들은 세차게 몰아치는 콧바람을 뚫고 다다쓰가 재채기를 하지 않도록 얼기설기 얽힌 코털 숲속을 노련하게 넘어 들어갔다. 그리고 재빨리 코 안을 통과해 수많은 수술을 통해 익숙해진 길을 따라 눈알 바로 뒤쪽에 도착했다. 반투명한 시각신경을 따라 계속 앞으로 나아가 대뇌로 향했다. 얇은 격막이 길을 막으면 깨물어 뚫고 지나갔다. 그들이 내는 구멍은 너무나 작아서 공룡이 느끼지도 못할 정도였다.

그렇게 병정개미 두 마리는 마침내 대뇌에 도착했다. 얌전하게 뇌수에 둘러싸인 대뇌는 독립적인 생명체처럼 신비했다. 개미들은 열심히 뇌를 뒤져 굵직한 뇌혈관을 찾아냈다. 대뇌로 혈

액을 공급하는 주요 통로였다. 한 마리가 작은 전등을 켜서 재빨리 주 혈관을 찾았고, 다른 한 마리는 노란 폭발 입자 조각을 혈관의 투명한 외벽에 붙였다. 그런 후에 대뇌에서 빠져나온 그들은 축축하고 어두운 머리 속의 구불구불한 길을 따라 아래쪽 방향으로 향했다. 금세 귓가에 도착한 그들은 고막 앞으로 다가갔다. 빛줄기가 반투명한 고막 너머로 쏟아져 들어왔고, 외부의 작은 소리가 달팽이관을 통과하면서 크게 증폭되어 고막을 윙윙 울렸다. 개미들은 고막에 도청기를 설치하기 시작했다.

황제의 악몽은 계속됐다. 꿈속에서 내장은 이미 완전히 털리고 더 많은 개미들이 몸으로 들어와 자신의 몸을 개미굴로 사용했다. 다다쓰가 온몸에 식은땀을 흘리며 깨어났을 때 개미 두 마리는 이미 임무를 마치고 기척도 없이 콧구멍으로 나왔다. 그리고 침대에서 내려와 땅바닥을 기어 침실을 벗어났다.

다다쓰는 몸을 간신히 돌리고는 악몽 때문에 엉망이 된 잠으로 다시 빠져들었다.

명월과 해신

개미 연방의 사령부, 최고 집정관 카치카와 연방군 총사령관 뤄례는 공룡 세계를 파멸로 이끌 거대한 작전을 지휘하고 있었다. 커다란 스크린 두 개에 각각 전선 공격작전과 두뇌 공격작전의 진척 상황이 나타났다.

"모두 순조롭게 흘러가는군요."

뤄례가 카치카에게 말했다.

바로 그때, 연방 수석 과학자 차오예가 들어왔다. 카치카가 차오예에게 인사를 건넸다.

"아, 차오예 박사, 한 주 내내 보질 못했군요! 계속 도청 정보를 분석하느라 바빴소? 진지한 모습을 보아하니 정말로 깜짝 놀랄 비밀이라도 말해 주려는 건가요?"

차오예가 더듬이를 끄덕였다.

"네, 지금 당장 두 분께 말씀드려야만 합니다."

"몹시 바쁘니 간단하게 말씀하시오."

"두 분께 녹음을 좀 들려드리고 싶습니다. 어제 저녁에 열린 곤드와나 제국과 로라시아 공화국의 수뇌부 회의에서 있었던 다다쓰와 둬둬미의 대화를 엿들었습니다."

카치카가 성가시다는 듯 말했다.

"이번 회의에서 비밀이랄 것이 있었나요? 두 나라가 핵무기를 줄이는 문제에 대해서 모두 반대했고 곤드와나와 로라시아 사이에 전쟁이 일촉즉발인 상황 아닙니까. 이건 우리 작전이 정당하다는 뜻입니다. 공룡 세계에서 핵전쟁이 일어나기 전에 반드시 그들을 쓸어버려야 해요."

"그건 공식적으로 발표된 내용이지요. 그런데 제가 들려드릴 것은 비밀리에 진행된 회담 내용입니다. 중간에 우리가 전혀 알지 못하는 이야기가 나옵니다."

녹음 음성이 울려 퍼지기 시작했다.

"다다쓰 폐하, 개미들이 그렇게 쉽게 굴복하리라 생각하십니까? 그들이 공룡 세계의 일터로 돌아온 것은 분명히 시간을 벌기 위한 계략일 겁니다. 개미 연방은 공룡 세계에 맞설 큰 음모를 꾸미고 있는 것이 틀림없습니다."

"둬둬미 총통, 당신은 내가 그렇게 빤히 보이는 사실까지 눈치채지 못할 만큼 멍청하다고 생각하는 겁니까? 그런데 로라시아의 명월이 카운트다운에 진입한 것에 비교하면 개미들의 위협, 심지어 당신들의 핵 위협까지도 모두 하찮은 것이지요."

"그럼요, 그렇지요. 개미들이나 핵전쟁 위협에 비하면 명월과 해신은 지구 문명에 당연히 더 큰 위험 요소지요. 그럼 우선 그 문제를 이야기해 봅시다. 명월의 일로 우리를 탓하는 것은 부당합니다. 해신이 먼저 카운트다운을 시작했잖소!"

"그만, 그만."

카치카가 더듬이를 휘두르며 말했다.

"박사, 나는 저들이 무슨 말을 하는지 도무지 모르겠소."

차오예는 녹음기를 잠시 멈추고 말했다.

"이 부분에는 중요한 정보가 두 가지 들어 있습니다. 그들이 이야기한 명월과 해신이 무엇일까요? 카운트다운은 또 무엇일까요?"

"박사, 공룡 고위 지도부의 대화에서 수상한 암구호가 등장하는 건 흔한 일이오. 당신은 어째서 그걸 문제 삼는 겁니까?"

"저들의 대화에서 그게 아주 위험한 존재라는 걸 알 수 있습니다. 지구 전체를 위험에 빠트릴 정도로요."

"논리적으로 불가능하오. 박사, 지구 전체를 위협하는 존재라면 분명 아주 커다란 시설이 필요할 겁니다. 그런 시설이 존재한다면 개미 연방이 모를 수가 없지요."

"집정관님, 저도 그 의견에 동의합니다. 지구상에서 개미를 속이면서 존재할 수 있는 큰 시설은 없지요. 그러나 비교적 규모가 작은 시설이라면 가능성이 있습니다. 개미의 유지 보수가 없이도 정상적으로 운영될 수 있을 테니까요. 예를 들어 대륙간 탄도미사일 한 기 정도는 오랫동안 개미 몰래 숨기고 언제든 쏘아 올릴 수 있습니다. 아마 명월과 해신이 바로 그런 물건일 겁니다."

"만약 그렇다면 걱정할 필요가 없지요. 그런 작은 시설로는 지구 전체에 위협을 가할 수가 없어요. 내가 말했지요. 위력이 가장 강한 핵폭탄이라도 지구를 쑥대밭으로 만들려면 수만 기는 필요할 겁니다."

차오예는 몇 초간 아무 말도 없더니 카치카에게 고개를 기울였다. 그들의 더듬이가 엇갈리고 눈이 거의 맞닿았다.

"그게 문제의 포인트입니다, 집정관님. 핵폭탄이 정말로 지구상에서 가장 위력 있는 무기일까요?"

"박사, 그건 상식이오!"

차오예가 고개를 거두어들이며 더듬이를 움직였다.

"맞습니다, 상식이지요. 그리고 그게 바로 개미의 사고방식이 지닌 치명적인 단점입니다. 우리의 사상은 상식에 머무르지만 공룡들은 언제나 미지의 영역을 주시하고 있지요."

"그건 전부 현실과는 동떨어진 순수 과학의 영역일 뿐이잖소."

"그러면 제가 여러분께 현실적인 일에 대해 말씀드리지요. 3년 전, 밤하늘에 갑자기 새로운 태양이 나타났던 걸 기억하십니까?"

카치카와 뤄례는 당연히 기억하고 있었다. 이전에 듣도 보도 못했던 그 일은 그들에게 아주 깊은 인상을 남겼다.

어느 추운 겨울밤이었다. 남반구 하늘 한가운데에 갑자기 새로운 태양이 나타나 세상이 순식간에 대낮처럼 변했다. 햇빛이 너무나 강렬한 나머지 직접 바라보면 잠시나마 시력을 잃을 정도였다. 태양은 약 20초간 밝게 내리쬐고는 곧 소멸됐다. 그때 방출된 복사에너지는 엄동설한을 여름 무더위로 바꾸어 놓았고, 갑자기 녹아내린 만년설로 홍수가 일어 여러 도시를 집어삼켰다. 당시에 그 일은 개미들에게 큰 충격을 주었다. 그들은 공룡에게 이게 무슨 일인지 물었지만 공룡 과학자들은 어떤 설명도 해 주지 않았다. 호기심이 부족한 개미들은 그 일을 금세 잊어버리고 말았다.

"그때 우리가 관측해서 얻은 유일한 결과는 그 새로운 태양이 태양계 내에서 나타났고 지구와의 거리가 약 1천문단위*라는 것뿐이었지요."

카치카는 못마땅했다.

"박사, 당신의 이야기는 비현실적이군요. 그런 에너지가 정말로 존재한다 해도 공룡이 그것을 지구에 나타나게 했다는 걸 증명할 수는 없잖소. 사실상 그럴 가능성이 거의 없으니까."

"저도 예전에는 그렇게 생각했습니다. 그런데……. 일단 이어지는 녹음을 더 들어 보시죠."

차오예가 다시 녹음기를 틀었다.

"이 게임은 너무 위험합니다. 위험 수준이 이미 한계를 넘어섰지요. 로라시아는 즉시 명월의 카운트다운을 중지하시오. 제 시간으로 돌린다면 곤드와나도 그렇게 할 테니."

"곤드와나가 먼저 해신의 카운트다운을 중지해야지요. 그렇다면 로라시아도 그렇게 하지요."

"로라시아가 먼저 명월의 카운트다운을 시작한 거잖소!"

"그러나 폐하, 더 오래전, 그러니까 3년 전 12월 4일에 곤드와나의 우주선이 우주에서 그 일을 벌이지만 않았다면 명월과 해신은 존재

* 천체 사이의 거리를 나타내기 위한 기준 단위. 지구와 태양 사이의 평균 거리인 1억 4,960만 킬로미터를 1천문단위라 한다.

하지도 않았을 겁니다! 그 괴물이 벌써 혜성의 궤도를 따라 태양계 저 멀리로 날아갔겠지요. 지구와는 아무 상관 없이요!"

"그건 과학 연구에 필요했기 때문에……."

"됐습니다! 지금까지도 그런 염치없는 거짓말을 계속하시는군요! 곤드와나 제국이 지구 문명을 벼랑 끝까지 밀어낸 겁니다. 당신들은 로라시아에 어떤 요구도 할 자격이 없어요!"

"로라시아 공화국은 전혀 양보할 생각이 없으시군?"

"곤드와나 제국은 있습니까?"

"그럼 좋습니다. 우리 모두 지구의 멸망은 안중에도 없는 거군요."

"그쪽에서 안중에 없다면 우리도 안중에 없을 수밖에요."

"하하하! 좋아요, 좋아. 공룡은 원래 무엇이든 안중에 없는 종족이지요."

차오예가 녹음기를 끄고 카치카와 뤄례에게 물었다.

"두 분 모두 대화 중에 나온 날짜가 언제인지 알아채셨을 겁니다."

"3년 전 12월 4일?"

뤄례가 기억을 더듬었다.

"바로 그 새로운 태양이 나타났던 날이군요."

"그렇습니다. 이 모든 것이 연결되어 있단 말이죠. 여러분은 어떤지 모르겠지만 저는 소름이 끼칩니다."

"이 일을 최대한 자세하게 알아보는 데 반대하진 않겠소."

카치카가 말하자 차오예가 한숨을 쉬었다.

"말처럼 쉬운 일이 아닙니다! 이 비밀을 캐내는 가장 좋은 방법은 공룡의 군사 네트워크를 이용하는 것이지만 개미의 컴퓨터와 공룡의 컴퓨터는 시스템이 완전히 다릅니다. 우리는 언제든 공룡의 컴퓨터 하드웨어 속에 들어갈 수 있지만 아직까지 소프트웨어에 침입할 수는 없어요. 그렇지 않다면 어떻게 도청이라는 원시적인 방법으로 정보를 수집하겠습니까? 게다가 이런 방법으로 단시간 내에 이 비밀을 파헤치는 것은 불가능합니다."

"알겠소, 박사. 당신이 조사하는 데 필요한 것을 모두 지원하겠소. 그러나 그 일이 우리가 진행 중인 공룡에 대한 전면 공격에 영향을 미쳐서는 안 됩니다. 지금 유일하게 나를 소름 끼치게 하는 것은 공룡 제국이 계속 존재하는 거예요. 나는 당신이 망상에 사로잡혀 있다고 생각해요. 그건 지금 연방이 해 나가는 위대한 사업에 아무런 도움이 되지 않습니다."

그 말을 들은 차오예는 아무런 말도 없이 뒤돌아 나갔다. 그리고 다음 날 흔적도 없이 사라졌다.

폭발하는 공룡 세계

병정개미 두 마리가 곤드와나 제국 황궁 대문의 바닥 틈에서 살금살금 기어 나왔다. 그들은 황궁의 컴퓨터 시스템과 공룡의 머리에 폭발 입자를 설치한 3,000마리 개미 중에서 마지막으로 철수하던 두 마리였다. 문틈에서 나온 그들은 높고 커다란 계단을 기어 내려가기 시작했다. 첫 번째 계단의 깎아지른 낭떠러지에서 그들은 위로 기어오르는 개미의 형체를 발견했다.

"어이, 저거 차오예 박사 아니야?"

병정개미 하나가 깜짝 놀라 말했다.

"연방 수석 과학자 말이야? 그래, 맞네!"

"어떻게 여기로 왔지? 뭐가 저렇게 수상해?"

차오예가 문틈으로 들어가는 것을 보고 병정개미가 말했다.

"뭔가 잘못된 거야. 자네 무전기는? 빨리 장관님께 보고해!"

그때 다다쓰 황제는 제국의 주요 대신들이 참여한 회의를 주재하고 있었다. 비서가 다가와 개미 연방의 수석 과학자 차오예 박사가 긴급하게 황제를 뵙길 청한다고 전했다.

"기다리라고 해라. 회의가 끝난 후에 다시 이야기하고."

다다쓰가 발톱을 휘두르며 말했다.

비서가 나가더니 잠시 후 다시 돌아왔다.

"너무나 중요한 문제라고 하면서 즉시 뵙기를 고집하고 있습니다. 또한 국무 대신, 과학 대신과 제국 군대 총사령관도 함께 있어 달라고 요청했습니다."

"건방지다. 작은 벌레 주제에 어찌 이렇게 버르장머리가 없단 말이냐? 기다리라고 해라. 아니면 쫓아 버리든지!"

"하나……."

비서가 자리에 있는 대신들을 둘러보더니 다다쓰의 귓가에 대고 낮게 속삭였다.

"이미 개미 연방을 배신하고 도망 나왔다고 합니다."

국무 대신이 둘의 대화에 끼어들었다.

"차오예는 개미 연방 지도층에서도 중요한 구성원입니다. 사고방식도 다른 개미들과는 사뭇 다르고요. 이렇게 왔다는 건 정말로 긴급하고 중요한 일이 있다는 뜻일 겁니다."

"그러면 좋다. 이리 오라고 해라."

다다쓰가 넓은 회의 탁자 위를 가리키며 말했다. 잠시 후 작은 개미 하나가 커다란 탁자 위로 올라왔다.

"저는 지구를 구하기 위해서 왔습니다."

차오예가 매끌매끌한 탁자 위 평원에 서서 산맥처럼 주위를 둘러싼 공룡들에게 말했다. 통역기가 그의 냄새어를 공룡어로 번역했다. 눈에 보이지 않는 확성기를 통해 소리가 울려 퍼졌다.

"흥, 허세가 아주 대단하시군. 지구가 이렇게 멀쩡한데."

다다쓰가 코웃음을 쳤다.

"곧 그렇지 않다고 생각하게 되실 겁니다. 우선 한 가지 물음에 대답해 주시기를 바랍니다. 명월과 해신이 무엇인지요?"

공룡들이 일시에 그를 경계하며 서로 눈빛만 주고받았다. 차오예 주위의 높은 산들이 순식간에 침묵에 빠져들었다.

잠시 후에야 다다쓰가 되물었다.

"짐이 무엇 때문에 그걸 알려 줘야 하는가?"

"폐하, 그것이 정말 제가 생각하는 그런 물건이라면 저 역시 여러분께 공룡 세계의 운명이 걸린 특급 기밀을 밝히겠습니다. 이 정도 거래라면 할 만하실 겁니다."

"그것이 자네가 생각하는 물건이 아니라면?"

다다쓰가 음산하게 물었다.

"그렇다면 저는 비밀을 알려 드릴 수가 없습니다. 그때 가서

물건의 비밀을 지키시려면 저를 죽이시거나 영원히 이곳에서 떠나지 못하게 하십시오. 폐하께서는 어떻게 하든 손해는 아니지요."

다다쓰가 몇 초간 침묵하더니 회의 탁자 왼쪽에 앉은 과학 대신에게 고개를 끄덕였다.

"알려 주게."

개미 연방의 사령부, 총사령관 뤄레가 수화기를 내려놓고 심각한 표정으로 카치카 집정관에게 말했다.

"차오예의 행방을 찾았습니다. 우리 예상이 맞은 모양입니다. 그놈이 배신을 했어요."

"폭발 입자 설치 작전은 진척이 어떻습니까?"

"전선 공격작전은 92퍼센트, 두뇌 공격작전은 90퍼센트가량 완료했습니다."

카치카는 세계지도가 보이는 스크린으로 돌아서서 각양각색으로 빛나는 대륙을 바라보았다. 그는 잠시 말이 없다가 이내 입을 열었다.

"지구 역사의 새로운 장을 엽시다. 10분 후 폭파시키세요!"

공룡 대신들의 설명을 들은 차오예는 너무 놀라서 머리가 어지럽고 눈앞이 캄캄해졌다. 잠시 균형을 잃고 말조차 제대로 할 수 없었다.

"어떤가, 박사? 방금 약속한 대로 우리에게 자네의 비밀을 알려 줄 텐가?"

다다쓰가 물었다.

차오예는 꿈에서 깨어난 듯 정신을 차렸다.

"이건 너무…… 너무 끔찍해! 당신들 정말 악마 같군요! 그런데 개미 역시 악마……. 빨리, 즉시 개미 연방 최고 집정관에게 전화를 걸어야 해!"

"자네 아직 대답하지 않았……."

"폐하, 비밀을 설명하고 있을 시간이 없습니다! 그들은 제가 여기에 온 것을 이미 알고 있으니 언제든 먼저 움직일 수 있습니다. 공룡 세계의 멸망이 코앞에 닥쳤습니다. 지구의 멸망이 그 뒤를 따를 것이고요! 저를 믿어 주십시오. 어서 전화를 걸어 주십시오! 어서!"

"좋다."

다다쓰는 탁자 위의 전화를 집어 들었다. 차오예는 굵은 손가락이 버튼을 하나하나 누르는 모습을 애타는 마음으로 지켜보았다. 이어서 다다쓰의 손에 들린 수화기에서 연결음이 희미하게 들려왔다. 몇 초 후 신호음이 끊어졌다. 카치카가 반대쪽에서 쌀알만큼 작은 수화기를 집어 들었다는 것을 알 수 있었다. 수화기에서 곧바로 그의 목소리가 들려왔다.

"여보세요, 누구십니까?"

다다쓰가 수화기에 대고 말했다.

"카치카 집정관입니까? 저 다다쓰입니다. 지금……."

바로 그때, 차오예는 주위에서 딸깍하는 미세한 소리가 동시에 울려 퍼지는 것을 들었다. 공룡들의 머리 속에서 나온 폭발입자의 폭발음이었다. 모든 공룡들이 일제히 굳어 버렸다. 그 순간 세상은 마치 정지 화면 같았다. 다다쓰의 손에 있던 수화기가 차오예 옆으로 무겁게 떨어지며 천지가 진동하는 굉음이 울렸다. 공룡들이 모두 우르르 쓰러지자 탁자 위 평원이 흔들거렸다. 산맥 같던 공룡들이 사라지자 탁자 지평선이 광활하게 펼쳐졌다. 차오예는 수화기 위로 기어올랐다. 여전히 카치카의 음성이 들려왔다.

"여보세요. 카치카입니다. 무슨 일이신가요? 여보세요……."

수화기가 소리와 함께 진동하자 위에 서 있던 차오예는 온몸이 저릿저릿했다. 그가 소리를 질렀다.

"집정관님! 저 차오예입니다!"

그러나 조금 전과는 다르게 냄새어는 소리로 바뀌지 않았고 반대쪽에 있는 카치카에게 전달되지 않았다. 황궁의 번역 시스템이 폭발 입자 때문에 망가진 탓이었다. 차오예는 더 이상 아무 말도 하지 않았다. 무슨 말을 해도 이미 늦었다는 것을 알았기 때문이다.

이어서 회의실의 불이 전부 꺼졌다. 해 질 녘, 이곳의 모든 것이 칠흑같이 캄캄한 어둠에 휩싸였다. 차오예는 가장 가까운 창문 쪽으로 다가가기 시작했다. 저 멀리서 들려오던 도시 속 자동차 소리도 멎고 사방이 쥐 죽은 듯 고요했다. 조금 전 공룡이 쓰러지기 직전의 정지 상태와 같았다. 차오예가 탁자 모서리를 넘어 아래로 내려가고 있을 때 밖에서 이상한 소리가 들려오기 시작했다. 먼 곳의 공룡들이 뛰어다니며 놀라서 지르는 소리였다. 차오예는 이 소리가 황궁 밖에서 들려오는 소리라는 것을 알았다. 황궁 안에는 살아 있는 공룡이 하나도 없기 때문이었다. 그들은 머리 속 폭발 입자 때문에 전부 죽음을 맞이했다.

저 멀리 도시에서 사이렌 소리가 울려왔지만 띄엄띄엄 울리다 말다를 반복하다가 오래 지나지 않아 꺼져 버렸다. 차오예가 땅바닥에서 창문까지 반쯤 기어올랐을 때 희미하게 폭발하는 소리가 들려왔다. 그는 마침내 창문 위로 올라가 밖을 내다보았다. 메갈리스 시티가 한눈에 들어왔다. 해가 진 도시는 어둠에 잠겨 있었다. 아직 빛이 완전히 가시지 않은 하늘에는 가늘게 피어오르는 연기 기둥이 군데군데 보였다. 갈수록 더 많은 연기가 피어올랐고 어떤 연기 기둥에서는 불꽃이 일었다. 도시의 희미한 윤곽이 불빛 속에서 보일 듯 말 듯 춤을 추었다. 불난 곳이 점점 많아졌다. 이제 불빛은 창문을 넘어 들어와 차오예의 등 뒤, 높디높은 천장에 어두운 주홍빛 그림자가 되어 일렁였다.

최후의 보루

"우리가 성공했습니다!"

뤄레 총사령관이 스크린 위에서 붉게 번뜩이는 세계지도를 보며 흥분해서 소리를 질렀다.

"공룡 세계는 이미 완전히 붕괴됐습니다. 정보 시스템은 마비되었고 모든 도시에 전력이 차단됐습니다. 폭발 입자 때문에 못 쓰게 된 차들이 도로를 막아섰고 도처에서 화재가 일어나 확산되고 있습니다. 두뇌 공격작전으로 공룡 세계의 주요 지도자 400만 마리가 죽었고 곤드와나 제국과 로라시아 공화국의 수뇌부도 더 이상 존재하지 않습니다. 두 공룡 제국은 뇌 기능이 정지돼서 쇼크 상태에 빠진 거나 마찬가지입니다. 사회 전체가 그야말로 혼란 그 자체입니다."

"이것은 시작에 불과합니다."

카치카가 말했다.

“모든 공룡 도시에 물 공급이 끊어졌고 비축된 식량도 대식가인 거주민들이 금세 먹어 치울 겁니다. 그때가 정말 결정적인 순간이 되겠지요. 공룡 대부분이 도시를 버리고 밖으로 뛰쳐나올 겁니다. 교통수단도 없고 길도 꽉 막힌 상황에서 짧은 시간 안에 멀리 흩어지지도 못할 거고요. 식사량도 워낙 많아서 최소한 공룡 중 절반은 식량을 충분히 확보하기도 전에 굶어 죽을 겁니다. 사실 공룡이 도시를 포기한 순간 그들의 기술 사회는 철저히 붕괴됐다고 봐야겠지요. 공룡 세계는 이미 저차원 기술의 농업시대로 퇴보한 것이나 마찬가지입니다.”

“두 나라의 핵무기 시스템은 어떻습니까?”

누군가가 묻자 뤄례가 대답했다.

“우리가 예상한 그대로입니다. 대륙간탄도미사일과 전략폭격기를 포함한 공룡이 소유한 모든 핵무기는 우리가 설치한 폭발 입자로 인해 모두 고철 덩어리가 됐습니다. 예기치 못한 핵 사고나 핵 오염은 전혀 발생하지 않았습니다.”

“아주 좋습니다. 정말 위대한 순간이군요. 우리는 이제 공룡 세계가 저절로 멸망하는 것을 기다리기만 하면 됩니다!”

카치카가 흥분에 사로잡혀 말했다.

바로 그때, 보고가 들어왔다. 차오예 박사가 돌아와 급히 카치카와 뤄례를 만나고 싶어 한다고 했다. 완전히 지쳐 버린 차오예가 지휘 본부로 들어오자 카치카는 화난 목소리로 그를 꾸짖었다.

"박사, 당신은 가장 중요한 시기에 개미 연방의 중대한 사업을 배신하고 가 버렸소. 이제 준엄한 심판을 받을 것이오!"

"제가 알아낸 모든 것을 다 듣고 나면 심판받을 자가 누구인지 알게 될 겁니다."

차오예가 냉랭하게 이야기했다.

"곤드와나 황제에게 가서 무엇을 한 거요?"

뤄례가 물었다.

"명월과 해신이 도대체 무엇인지를 알아냈습니다."

차오예의 말은 흥분한 개미들의 마음에 찬물을 끼얹었다. 그들은 일제히 차오예에게 집중했다.

차오예가 주위를 둘러보며 물었다.

"우선, 여기에 반물질이 무엇인지 아는 분 있습니까?"

개미들이 잠시 침묵하자 카치카가 말했다.

"조금 알고 있소. 반물질은 공룡 물리학자들이 추측해 낸 물질이지요. 입자의 전하가 우리 세계의 물질과는 반대라고 했소. 반물질이 우리 세계의 물질과 접촉하면 양쪽의 질량은 전부 에너지로 전환된다고 하더군요."

차오예가 더듬이를 끄덕이며 말했다.

"지금 여러분은 핵무기보다 더 강력한 물건을 알게 된 겁니다. 동일한 질량이라면 물질과 반물질의 쌍소멸로 생성되는 에너지의 위력은 핵폭탄의 수천 배를 능가합니다!"

"그런데 그게 명월과 해신이랑 무슨 관계가 있지요?"

"제 말씀을 계속 들어 주시죠. 3년 전, 남반구에서 갑자기 나타난 새로운 태양을 기억하십니까? 그 빛은 한 혜성의 궤도를 따라 태양계로 들어온 작은 천체에서 나온 것이었습니다. 그 천체는 직경이 채 30킬로미터도 안 되는, 우주를 떠도는 작은 돌멩이일 뿐이었지요. 그런데 그게 반물질로 구성되어 있었던 것입니다! 이 천체는 소행성대*를 지날 때 운석과 부딪혔습니다. 운석과 반물질 천체는 쌍소멸 폭발을 일으키며 거대한 에너지를 방출했고 그때 섬광이 일어난 것이죠.

당시 곤드와나와 로라시아에서 모두 탐지기를 발사했고 똑같은 결과를 얻었습니다. 그 쌍소멸로 크고 작은 반물질 조각들이 생겨났으며 이 조각들이 우주로 흩어졌다는 것입니다. 공룡 천문학자들은 떨어져 나온 조각 몇 개의 위치를 확인했습니다. 그건 어렵지 않았습니다. 소행성대 안에서 태양풍 속의 입자가 반

* 화성과 목성 사이에 소행성이 많이 모여 있는 지역을 말한다.

물질 조각과 쌍소멸을 일으키면 조각 표면에서 특수한 빛이 나타났으니까요. 그런데 그때 군사 경쟁에 열을 올리고 있었던 곤드와나와 로라시아는 동시에 아주 미친 생각을 하게 됩니다. 반물질 조각을 지구로 가지고 와서 핵무기보다 훨씬 강한 무기로 만들어 상대를 위협하겠다는…….”

“잠깐, 잠깐.”

카치카가 차오예의 말을 끊었다.

“거기에는 명백한 논리적 오류가 있소. 반물질과 물질이 접촉하면 쌍소멸이 일어나는데 어떤 용기에 담아 지구로 가져온단 말이지요?”

차오예가 이어서 설명했다.

“공룡 천문학자들은 그 반물질 천체의 대부분이 반물질 철로 이루어져 있다는 것을 알아냈습니다. 그들이 우주에서 추적해 낸 조각도 대부분 반물질 철이었죠. 반물질 철과 우리 세계의 철은 똑같이 자기장의 작용을 받습니다. 이 사실이 저장 문제를 해결할 가능성을 열어 주었습니다. 공룡들은 내부가 진공상태인 용기를 만들었습니다. 그리고 강력한 자기장을 발생시켜서 반물질을 용기의 정중앙에 정확하게 위치시켰죠. 용기의 내벽과 닿지 않도록 말입니다. 이러면 반물질을 용기 안에 저장할 수도 있고 어디로든 옮기거나 넣을 수도 있습니다. 당연히 처음에는 이론상으로만 가능한 생각이었습니다. 그런 용기를 사용해 반물질을 지구로 가져온다는 것 자체가 완전히 황당하고 위험한 발상이었으니까요. 그런데 역시 정신 나간 짓을 하는 게 공룡의 천성인가 봅니다. 세계를 제패하겠다는 욕망이 모든 것을 이기고 말았어요. 그들은 정말로 그런 용기를 만들어 낸 것입니다!

곤드와나 제국이 먼저 이 생지옥으로 발을 들여놓았습니다. 그들은 텅 빈 구형인 진공 자기장 용기를 설계하고 만들어 냈습니다. 반물질 조각을 채집할 때 그들은 이 용기를 두 개의 반구형으로 갈라 우주선의 로봇 팔 양쪽에 고정시켰습니다. 우주선이 천천히 반물질 조각에 접근하면 로봇 팔은 두 반구를 매우 조심스럽게 가운데로 모읍니다. 조각이 한가운데에 위치하면 반구가 꽉 닫히는 동시에 초전도체에서 발생된 자기장이 작용하기 시작해 조각을 구체의 정중앙에 고정시키죠. 그러고 나서 우주선이 구체를 지구로 실어 오는 겁니다.

곤드와나의 우주선이 구체 용기를 가지고 지구 대기층으로 진입했습니다. 그 조각은 무게가 45톤 정도였지요. 만약 대기층 안에서 쌍소멸을 일으킨다면 90톤의 물질과 반물질이 대기권 안에서 순수 에너지로 전환되는 것이고 이 거대한 에너지는 지구상의 모든 생명을 소멸시킬 수 있는 수준입니다. 이를 안로라시아 공화국은 곤드와나 제국과 함께 죽고 싶지는 않았기 때문에 그 우주선이 바다 위에 착륙하는 것을 그저 지켜볼 수밖에 없었지요.

이어서 더욱 믿지 못할 황당무계한 일이 벌어집니다. 곤드와나의 우주선은 착륙한 후 바다 위에서 그 구체 용기를 커다란 화물선 위로 옮겨 실었습니다. 이 배의 이름은 해신호였는데 공룡들은 배에 실은 반물질 조각을 해신이라고 부르기 시작했습니다. 배는 곤드와나로 돌아가지 않고 로라시아로 향했고 결국 로라시아의 가장 큰 항구에 정박했어요! 이 모든 과정이 이루어지는 동안 로라시아는 이 파멸의 배를 가로막지도 못하고 가만히 두는 수밖에 없었습니다. 그러니 배가 항구로 들어가는 것도 아주 식은 죽 먹기였지요. 해신호가 정박한 후 배에 있던 공룡들은 모두 헬리콥터를 타고 곤드와나로 돌아갔고 배는 항구에 버려졌어요.

로라시아 공룡들은 해신호를 신처럼 받들며 어떤 행동도 함부로 하지 않았습니다. 곤드와나 제국이 구체 용기를 원격조종해 용기 내의 자기장을 꺼 버리면 언제라도 반물질 조각과 용기가 접촉해 쌍소멸이 일어날 수 있다는 것을 알았거든요. 그런 일이 생긴다면 온 세상이 화를 피할 수 없겠지만 가장 먼저 사라지는 것은 로라시아일 겁니다. 해안가에 있는 죽음의 태양에서 치솟은 불길로 대륙 위의 모든 것이 순식간에 잿더미로 변할

테죠. 로라시아 공화국에게는 암흑과 같은 나날이었습니다. 곤드와나 제국은 지구의 목숨 줄을 쥐고 있으니 인정사정없이 난폭해졌고 로라시아에 끊임없이 영토와 핵무장 해제를 요구했습니다.

그러나 한쪽으로 기울어진 상태는 오래가지 않았습니다. 곤드와나의 해신 작전 한 달 후, 로라시아도 똑같은 일을 벌인 것입니다. 로라시아는 동일한 기술로 우주에서 두 번째 반물질 조각을 채집해서 명월호라는 화물선 위에 실어 곤드와나 대륙의 가장 큰 항구로 보냈습니다. 그래서 공룡 세계는 다시 균형을 이루게 됐습니다. 최후의 보루로 이룬 균형이지요. 지구는 이미 파멸 직전까지 온 겁니다.

세계적인 공황을 막기 위해서 명월 작전과 해신 작전은 모두 극비에 부쳐졌습니다. 공룡 세계에서도 극소수만이 내막을 알고 있지요. 이 두 작전은 막대한 자금을 쏟아부은 믿을 만한 설비를 사용함과 동시에 곧바로 교체할 수 있는 모듈 구조로 이루어졌습니다. 시스템 규모가 크지 않아서 개미들의 유지 보수가 전혀 필요하지 않기 때문에 개미 연방이 지금까지 전혀 알지 못한 것입니다."

차오예의 이야기에 사령부의 모든 개미들은 아연실색했다. 승리감에 도취되어 절정에 이르렀던 그들은 한순간에 공포의

심연으로 곤두박질쳤다.

카치카가 말했다.

"이건 정신 나간 정도가 아니라 완전 변태군! 전 세계의 공멸을 건 이런 위협은 이미 그 어떤 정치적 의미나 군사적 의미가 없어. 철저한 변태 행위라고! 박사, 이게 바로 당신이 숭배하던 공룡의 호기심과 상상력, 창조력이 불러온 결과요."

"딴소리 말고 지금 직면한 위험에 대해서 이야기합시다."

차오예가 말했다.

"두 공룡 제국의 우두머리가 언급했던 카운트다운에 대해서 말씀드리겠습니다. 상대 쪽의 선제공격에 손쓸 수 없는 상황을 막기 위해서 두 공룡 제국은 거의 동시에 명월과 해신에 새로운 대기 방식을 적용합니다. 바로 카운트다운이죠. 그때 이후로 각국의 컨트롤타워에서는 반물질 용기에 폭발 신호를 보내지 않았습니다. 반대로 폭발을 해제하는 신호를 보내기 시작했습니다. 구형 용기는 매시 매분 폭발 카운트다운을 하는 상태로 유지됩니다. 그러다 컨트롤타워에서 보내는 해제 신호를 받으면 리셋되어 다시 카운트다운을 시작하면서 다음번 해제 신호를 기다리는 것입니다. 그 해제 신호는 언제나 곤드와나 황제와 로라시아 총통이 직접 보냅니다. 그렇게 하면 상대의 선제공격으로 위험에 빠진 후에는 해제 신호를 보낼 수 없게 되고, 반물질을 폭발하게 하는 카운트다운이 끝까지 가도록 만들 수 있으니까요. 이런 신호 대기 방식이라면 선제공격은 자살 행위나 다름없고 적의 존재 자체가 자신이 존재하는 필요조건이 되겠지요. 그와 동시에 지구가 직면한 위험은 한 단계 더 높아졌습니다. 카운트다운은 이 최후의 보루 중에서도 가장 광기 어린, 혹은 집정관님의 표현을 빌리자면 가장 변태적인 부분입니다."

사령부는 또다시 쥐 죽은 듯 고요해졌다. 카치카가 먼저 침묵을 깼다. 조금 떨리는 말투였다.

"그렇다면 명월과 해신이 지금도 해제 신호를 기다리고 있다는 말이오?"

차오예가 더듬이를 끄덕였다.

"아마 영원히 보낼 수 없을 그 신호를요."

"곤드와나와 로라시아의 컨트롤타워가 이미 우리의 폭발 입자로 망가져 버렸단 말입니까?"

뤄례가 물었다.

"그렇습니다. 다다쓰 황제가 곤드와나의 컨트롤타워 위치와 그들이 정찰해 낸 로라시아의 컨트롤타워 위치를 알려 주었습니다. 그래서 저는 전선 공격작전의 데이터베이스에서 그 작은 신호 발신 타워의 정보를 찾아냈지요. 그 시설은 부착 작전 당시 용도를 알 수가 없어서 통신 설비에만 작은 폭발 입자를 설치했습니다. 곤드와나 컨트롤타워에는 서른다섯 조각, 로라시아 컨트롤타워에는 스물여섯 조각, 다 합해서 예순한 가닥의 전선을 끊은 것이지요. 수량이 많지는 않지만 이 두 컨트롤타워의 발신 설비를 무력화시키는 데는 충분했습니다."

"카운트다운 신호는 간격이 얼마나 됩니까?"

"3일, 66시간입니다. 로라시아와 곤드와나의 카운트다운은 거의 동시에 이루어집니다. 보통 카운트다운 해제 신호는 카운트다운이 시작되고 22시간 후에 발신됩니다. 이번 카운트다운이 시작한지 벌써 스무 시간이 지났으니까 이틀 정도 시간이 있어요."

뤄례가 이야기했다.

"만약 우리가 해제 신호의 구체적인 방법을 알아낸다면 직접 신호 발신기를 만들어서 계속 명월과 해신이 카운트다운을 하게 만들 수 있잖아요."

"문제는 우리가 그 방법과 내용을 모른다는 거죠. 알 수도 없고요! 공룡들이 제게 신호의 내용을 알려 주지는 않았습니다. 아주 복잡하고 긴 비밀번호로 되어 있고 매번 바뀐다고만 했어요. 그 계산은 컨트롤타워의 컴퓨터에만 저장되어 있고요. 아마 이제는 그걸 아는 공룡이 없을 겁니다."

"그렇다는 건 두 컨트롤타워에서만 신호를 보낼 수 있다는 말이군요."

"제 생각엔 그렇습니다."

카치카가 잠깐 생각하더니 말했다.

"우리가 해낼 수 있을 겁니다. 얼른 고쳐 봅시다."

백악기 마지막 전투

곤드와나 제국의 신호 발신 컨트롤타워는 메갈리스 시티 교외의 황량한 사막지대에 있었다. 꼭대기에 전선이 복잡하게 얽혀 있는 작은 건물은 기상관측소처럼 볼품없어 보였다. 경비도 아주 허술해서 지키고 있는 공룡도 한 소대뿐이었다. 그나마도 주로 하는 일은 가끔 실수로 들어온 곤드와나의 공룡을 막는 것이 전부였다. 적국의 스파이나 테러범을 걱정할 필요는 없었다. 이곳이 안전하기를 곤드와나보다 더 간절히 바라는 이들이 바로 로라시아였기 때문이다.

컨트롤타워를 호위하는 공룡 외에 이곳에서 매일 근무하는 공룡은 다섯 마리뿐이었다. 기술자 하나, 시스템 운영자 셋, 정비사 하나였다. 그들도 경비원들과 똑같이 이곳의 용도에 대해 전혀 모르고 있었다.

컨트롤타워의 통제실에는 커다란 스크린이 있었고 66시간부터 시작하는 카운트다운이 계속해서 나타났다. 그러나 이 카운트다운이 44시간 아래로 내려가는 일은 전혀 없었다. 그 시간이 되면(보통은 이른 아침) 비어 있는 다른 스크린에 황제 다다쓰의 영상이 나타났다. 황제는 그때마다 간단하게 한마디 했다.

"명령이다. 신호를 보내라."

그러면 당직 시스템 운영자가 즉시 대답을 했다.

"네, 폐하!"

시스템 운영자는 제어판 위의 마우스를 움직여 아래에 있는 컴퓨터 스크린에서 발신 아이콘을 클릭했다. 커다란 스크린에 알림이 차례로 나타났다.

해제 신호 발송 — 해제 성공, 회신 수신 — 카운트다운 초기화

그러면 스크린에는 '66:00'이라는 숫자가 다시 나타났고 카운트다운이 시작됐다.

황제는 이 모든 과정을 유심히 지켜보다가 카운트다운이 시작되면 한시름 놓았다는 듯 자리를 떠났다. 황제가 신호 발신에 이렇게 관심을 갖는 것을 보면 아주 중대한 신호임이 틀림없었다. 그러나 이것이 매일 지구의 사형 집행을 뒤로 미루는 신호

라는 것을 한낱 시스템 운영자는 상상도 하지 못했다.

그날, 매일 아침이 똑같던 2년간의 평온한 일상이 깨졌다. 신호 발신기가 고장을 일으킨 것이다. 컨트롤타워의 설비는 가장 신뢰도가 높은 장비로 설치되었고 시스템 백업까지 되어 있었다. 백업 시스템을 포함해 모든 설비가 한꺼번에 고장 난 것은 분명 자연적이거나 우연한 이유로 인한 일은 아니었다.

고장 난 부분을 찾아 나선 기술자와 정비사는 전선 몇 개가 끊어져 있는 것을 금세 발견했다. 그러나 그 전선들은 개미들만이 이을 수 있는 것이었다. 그들은 상급자에게 개미 수리 기사를 요청하려고 즉시 전화를 걸었다. 그런데 전화가 불통이었다. 계속해서 고장 원인을 알아본 그들은 더 많은 선이 끊어졌다는 것을 알아냈다. 그렇지만 이미 황제의 명령으로 신호를 보낼 시간이 가까이 다가와 있었다. 공룡들은 하는 수 없이 직접 선을 잇기 시작했다. 그러나 가느다란 선을 그들의 두꺼운 손가락으로 잇기에는 너무나 힘들었다.

다섯 마리 공룡은 속이 바짝바짝 타들어 갔다. 그들은 전화 통화를 하지는 못했지만 통신이 곧 복구되고, 카운트다운이 44시간을 가리킬 때 황제가 스크린에 나타날 것이라고 믿었다. 지난 2년 동안 이곳 공룡들의 의식 속에서 황제의 출현은 마치 매일 태양이 떠오르는 것과 마찬가지로 절대 불변의 법칙이었던 것이다. 그런데 오늘, 태양은 떠올랐지만 황제는 나타나지 않았다. 카운트다운의 숫자는 처음으로 44시간 아래로 내려가 여전히 일정한 속도로 자꾸 줄어들었다.

공룡들은 발신기를 망가트린 것이 개미이기 때문에 자신들이 더 이상 개미에게 의지할 수 없다는 사실을 나중에야 알게 됐다. 컨트롤타워의 공룡들은 메갈리스 시티에서 도망쳐 나온 공룡들로부터 수도의 상황을 전해 들었다. 개미들이 폭발 입자를 이용해 공룡 제국의 모든 기계를 못 쓰게 만들어서 공룡 세계는 마비 상태가 됐다고 했다.

그러나 컨트롤타워에서 일하는 그들은 모두 충성스럽고 책임감 강한 공룡이었다. 그들은 이미 끊어진 선을 잇기 위해서 계속 노력했다. 하지만 이는 절대 완수할 수 없는 임무였다. 기계 속 선이 끊어진 곳은 공룡의 크고 투박한 손이 닿지도 않았다. 밖으로 드러난 끊어진 전선 몇 가닥 역시 둔한 손가락 사이를 이리저리 빠져나가기만 해서 도저히 한데 모을 수가 없었다.

"에이, 쳐 죽일 놈의 개미 새끼들!"

공룡 정비사가 침침해진 눈을 주무르며 욕했다.

그때 기술자가 두 눈을 동그랗게 떴다. 진짜 개미를 발견한 것이다! 100마리 남짓한 개미 대오가 하얀 제어판 위를 재빠르게 행진해 다가왔다. 대오를 인솔한 대장 개미가 공룡에게 고함을 질렀다.

"여기요, 기계 고치는 걸 도우러 왔습니다! 전선을 이어주러 왔어요! 우리가……."

공룡은 마침 냄새어 번역기를 켜고 있지 않아서 개미의 말을 듣지 못했다. 사실 들었다고 해도 믿지 못했을 것이다. 그때 그들의 마음속은 온통 개미를 향한 증오로 들끓고 있었기 때문이다. 공룡들은 제어판 위의 개미들을 손으로 때려 으깨 버렸다. 그리고 이를 부득부득 갈면서 중얼거렸다.

"네놈들이 폭파했지! 네놈들이 기계를 망쳤어……."

하얀 제어판 위에 까만 얼룩이 찔끔찔끔 남았다. 개미들은 그렇게 으스러져 버렸다.

"집정관님께 보고 드립니다. 컨트롤타워 내의 공룡들이 개미 정비대를 공격했습니다. 모두 제어판 위에서 전멸했습니다!"

컨트롤타워에서 50미터 떨어진 잡초 아래에서 무사히 도망 나온 개미 한 마리가 카치카에게 보고했다. 개미 연방의 수뇌부 대부분이 그곳에 모여 있었다.

"집정관님, 어떻게든 컨트롤타워의 공룡들과 대화할 방법을 찾아서 우리가 찾아온 이유를 설명해야 합니다!"

"어떻게 대화를 합니까? 말을 듣지도 않잖아요. 아예 통역기를 켜지도 않아요!"

"전화를 해 보는 것은 어떻습니까?"

한 개미가 건의했다.

"이미 해 봤습니다. 공룡의 통신시스템 전체가 다 망가졌어요. 개미 연방과의 통신망도 완전히 단절되어서 전화는 아예 불통이라고요!"

뤄례가 말했다.

"모두들 예로부터 내려오는 개미의 기술을 기억하셔야 합니다. 증기기관 시대 전, 기나긴 세월 동안 우리 선조들은 몸으로 글자를 써서 공룡들과 대화했습니다."

"지금 여기 모인 대오가 총 몇입니까?"

"열 개 육군 사단입니다. 대략 15만 마리입니다."

"몇 글자나 쓸 수 있지요?"

"글자 크기에 따라 다릅니다. 공룡이 일정 거리에서도 잘 보이도록 하기 위해서는 아무리 많아도 열몇 글자 정도입니다."

"좋아요."

카치카가 잠시 생각을 했다.

"글자를 이렇게 만듭시다. 기계를 고쳐 주겠다. 이 기계가 세계를 구한다."

"개미가 또 왔어! 이번에는 아주 많아!"

컨트롤타워의 문 앞, 공룡 병사들은 개미의 방진* 행렬이 다가오는 것을 보았다. 방진은 3~4제곱미터 정도로 지면의 올록볼록한 모양 그대로 굴곡을 이루고 있었다. 마치 땅바닥에서 펄럭이는 검은 깃발 같았다.

"우리를 공격하러 온 걸까?"

"아닌 것 같은데. 대형이 이상해."

개미 방진이 점점 다가왔다. 눈치 빠른 공룡이 소스라치게 놀라며 외쳤다.

"와, 글자가 보여!"

다른 공룡이 글자를 한 자 한 자 읽었다.

"기, 계, 를, 고, 쳐, 주, 겠, 다, 이, 기, 계, 가, 세, 계, 를, 구, 한, 다."

"고대에는 개미들이 이런 방법으로 우리 선조들하고 대화했다고 들었어. 직접 보게 될 줄이야!"

한 공룡이 감탄했다.

"허튼소리!"

공룡 소위가 손을 내저으며 말했다.

* 군사들을 사각형으로 배치한 진을 말한다.

"저 계략에 걸려들어선 안 되지. 가서 온수기에 있는 뜨거운 물을 전부 대야에 받아 와라."

공룡 병사들은 의견이 분분했다.

"저 녀석들 말이 너무 이상한데. 이 기계가 어떻게 세계를 구한다는 거지?"

"누굴 위한 세계? 우리 세계를 말하는 거야 아니면 걔네 세계를 말하는 거야?"

"이 기계에서 보내는 신호는 분명히 엄청 중요한 걸 거야."

"맞아, 안 그러면 왜 황제 폐하께서 매일 직접 명령을 내리시겠어?"

"멍청한 놈들아!"

소위가 꾸짖었다.

"지금 이 마당에도 개미를 믿느냐? 우리가 너무 경솔하게 저들을 믿었기 때문에 저들이 제국을 망가트릴 수 있었던 것이다! 저놈들은 지구상에서 제일 비열하고 음흉한 벌레야. 다시는 저 놈들의 꼬임에 빠지지 말아야 한다! 어서 뜨거운 물을 가져와라!"

공룡 병사들은 재빨리 대야에 뜨거운 물을 받아서 가져왔다. 각자 대야를 하나씩 든 다섯 병사가 개미 방진을 향해 한 줄로 서서 동시에 뜨거운 물을 들이부었다. 수증기가 자욱한 가운데

펄펄 끓는 물이 사방으로 튀었다. 땅 위의 검은 글자는 와르르 흩어지고 방진 속의 개미들은 대다수가 그대로 익어 버렸다.

"공룡들과 대화하는 것은 이미 불가능하오. 지금 유일한 선택은 컨트롤타워를 공격해 점령한 후, 기계를 고쳐서 우리가 해제 신호를 보내는 것이오."

카치카가 멀리서 솟아오르는 수증기를 보며 말했다.

"개미가 공룡의 기지를 공격한다고요?"

뤄례는 무슨 말인지 모르겠다는 듯 카치카를 쳐다보았다.

"그건 그야말로 정신 나간 전략입니다!"

"방법이 없어요. 어차피 정신 나간 세상입니다. 이 건물은 규모도 크지 않고 고립된 상황이니 단시간에는 지원을 받을 수 없을 겁니다. 우리가 최대한 힘을 끌어모은다면 함락시킬 수도 있을 거예요!"

"저 멀리 있는 게 뭐지? 아, 개미들의 탱크 같습니다!"

보초병의 고함에 소위가 망원경을 들었다. 멀리 황량한 들판에서 검은 물건이 움직이고 있었다. 자세히 보니 보초병의 말 그대로였다. 개미들의 교통수단은 보통 아주 작다. 그러나 군사적으로 특별히 필요할 때는 그들의 신체에 비해 대단히 거대한 차량을 만들어 냈다. 그게 바로 탱크였다. 그들의 탱크는 인간의 자전거만 했다. 개미의 눈에 이 물건이 집채만큼 거대한 것은 두말할 필요도 없다. 마치 사람이 1만 톤급 대형 선박을 보는 것과 같은 느낌이다. 탱크는 바퀴가 없고 개미처럼 여섯 개의 다리로 걸었다. 그래서 복잡한 지형도 빠르게 통과할 수 있었다. 탱크 한 대에는 개미 수십만 마리를 실을 수 있었다.

"발사! 탱크를 향해 쏴라!"

소위가 명령했다.

공룡 병사들은 자신들의 유일한 무기인 경기관총으로 멀리서 다가오는 탱크를 사격했다. 총탄이 모래밭에 흙먼지를 일으켰다. 맨 앞에서 다가오던 탱크의 앞다리 한쪽이 부서지며 잠시 땅에 처박혔다. 남은 기계 다리 다섯 개는 쉬지 않고 휘적거렸다. 탱크 옆쪽 뚜껑이 열리자 안에서 검은 공이 수도 없이 굴러 나왔다. 크기가 인간의 축구공만 한 그 공은 한데 똘똘 뭉친 개미 덩어리였다! 검은 공은 땅바닥까지 굴러 내려와 커피가 물에 녹는 것처럼 순식간에 흩어졌다. 또 다른 탱크 두 대가 공룡의 공격으로 멈추었다. 그러나 총탄이 탱크를 관통한다 해도 개미를 몇 마리밖에 죽이지 못했다. 검은 개미 공은 계속 줄지어서 탱크 밖으로 굴러 나왔다.

"에이, 대포 하나만 있으면 좋겠는데!"

한 공룡 병사가 말했다.

“그러게. 수류탄도 괜찮은데.”

“화염방사기가 제일 낫지!”

“됐다. 쓸데없는 소리 하지 말고 탱크가 몇 대나 되는지 세어 봐!”

소위가 망원경을 내려놓고 전방을 주시하며 말했다.

“세상에, 족히 200~300대는 됩니다!”

“개미 연방이 곤드와나 대륙에 있는 탱크를 전부 이곳으로 끌고 온 것 같습니다.”

“그렇다는 건 여기에 개미가 수억 마리는 모였다는 거잖아! 확실한 건 개미들이 컨트롤타워를 뺏으려고 한다는 것이다!”

“소위님, 저희가 달려가서 저 벌레 탱크를 때려 부수겠습니다!”

“안 된다. 우리의 기관총과 소총은 저들에게 살상력이 별로 없어.”

“발전용 휘발유가 있습니다. 가서 불태워 버리죠!”

소위는 차갑게 고개를 저었다.

“그것도 일부만 태울 수 있을 뿐이야. 우리의 최우선 임무는 컨트롤타워를 지키는 것이다. 자, 명령을 들어라…….”

"집정관님, 총사령관님, 전방 공군 정찰기의 보고입니다. 공룡들이 수로를 팠다고 합니다. 컨트롤타워를 중심으로 두 바퀴를 둘러서 파고, 근처에 있는 강물을 끌어와 바깥쪽 수로에 물을 채웠습니다. 또 드럼통 몇 개를 가져와 안쪽 수로에 휘발유를 채웠다고 합니다!"

"즉시 공격을 개시하라!"

개미들은 컨트롤타워로 이동하기 시작했다. 새까만 덩어리들은 마치 공중에서 땅으로 드리운 구름의 그림자 같았다. 컨트롤타워의 공룡들은 간담이 서늘해졌다.

개미 떼의 선두가 물로 가득한 첫 번째 수로에 이르렀다. 맨 앞에 선 개미들은 멈추지 않고 곧바로 물속으로 뛰어들었다. 뒤이어 오는 개미들은 그들의 몸을 밟고 좀 더 앞으로 나아가 뛰어들었다. 금세 물 위에 시커먼 막이 두텁게 깔렸다. 이 막은 빠른 속도로 수로의 안쪽으로 밀고 들어왔다.

공룡 병사들은 밀폐된 헬멧을 쓰고 개미들이 몸 안으로 들어오는 것을 막았다. 그리고 수로 안쪽에서 삽으로 개미 떼에 흙을 뿌리며 뜨거운 물을 한 대야씩 들이부었다. 그러나 별 소용이 없었다. 시커먼 막은 이내 수면을 전부 덮어 버렸고 개미 떼는 막을 디디며 검은 홍수처럼 밀려들었다. 공룡들은 두 번째 수로 안쪽까지 물러날 수밖에 없었다. 그들은 수로 속의 휘발유에 불을 붙였다. 이글이글 타오르는 불길이 컨트롤타워를 에워쌌다.

개미 떼는 불구덩이에 이르러서 겹겹이 층을 쌓더니 개미 둑을 이루었다. 둑은 계속해서 높아졌고 결국 2미터까지 올라가 불구덩이 밖으로 검은 벽을 세우게 됐다. 이어서 개미 둑은 한 덩어리로 불구덩이를 향해 움직이기 시작했다. 둑이 불빛 속에서 요동치는 모습은 마치 검은 비단뱀같이 보였다. 거센 불길이 타오르자 개미 둑에서는 푸른 연기가 뿜어져 나왔고 공기 중에는 눌은 내가 코를 찔렀다. 둑 가장 앞쪽에서 불에 탄 개미들이 계속 굴러떨어졌다. 떨어진 개미들이 타들어 가자 구덩이 가장자리에서는 기이한 초록 불빛이 일었다.

개미 둑은 앞쪽이 계속해서 새로운 개미들로 채워지며 불구덩이 앞까지 다가가 굳건히 섰다. 바로 그때, 개미 떼 한 무리가 반대편에서 둑의 꼭대기로 기어올라 검고 큰 개미 공을 만들었다. 한 시간 전에 탱크에서 굴러떨어졌던 공만 한 크기였다. 공 하나가 개미 병력 한 개 사단이었다. 검은 공은 개미 둑의 꼭대기에서부터 굴러떨어졌다. 일부가 불에 타서 없어졌지만 대부분이 추진력 덕분에 불구덩이를 넘어 반대편에 닿았다. 불길을 통과하면서 공의 바깥쪽은 불에 타 버렸다. 그러나 무수히도 많은 개미들은 서로를 꽉 붙들어 놓지 않았고 타 버린 채 공의 껍질이 되어 안쪽의 개미들을 보호했다. 그렇게 불구덩이를 넘어 맞은편 기슭에 닿은 개미는 금세 수천 마리를 넘어섰다. 겉껍질이 떨어져 나가자 공은 재빨리 흩어져 컨트롤타워의 계단을 새까맣게 뒤덮었다.

컨트롤타워를 지키는 공룡 병사들은 완전히 제정신이 아니었다. 그들은 소위의 명령에도 불구하고 밖으로 뛰쳐나가 건물 뒤로 돌아갔다. 그리고 개미들이 들이치지 않은 통로를 따라서 미친 듯이 달려 나갔다.

개미 떼는 컨트롤타워의 아래층을 점령하고 계단으로 밀고 올라가 통제실에 도착했다. 그들은 동시에 건물 외벽으로 기어올라 창문으로도 진입했다. 건물의 아래쪽 절반이 순식간에 검은색으로 휩싸였다.

통제실에는 공룡 여섯 마리가 있었다. 소위, 기술자, 정비사와 시스템 운영자 셋이었다. 그들은 개미 떼가 문, 창문 그리고 모든 틈바구니로 기어 들어오는 모습을 질겁한 채 바라보았다. 마치 건물이 개미 바다에서 침몰하는 중인 것처럼 검은 바닷물이 곳곳에서 밀려들었다. 그들은 창밖을 바라보았다. 그리고 정말로 개미 바다를 보았다. 눈길이 닿는 곳 어디든 대지는 온통 검은 개미 떼로 뒤덮여 있었다. 컨트롤타워는 이미 개미 바다 위에 혼자 솟은 외딴섬이었다.

개미 떼는 재빨리 통제실 바닥을 점령했고 제어판 앞에만 둥그렇게 빈 공간을 남겨 두었다. 바로 여섯 마리 공룡이 서 있는 공간이었다. 기술자 공룡이 얼른 통역기를 꺼내 스위치를 켜자 즉시 목소리가 들렸다.

"저는 개미 연방의 최고 집정관입니다. 여러분에게 자세하게 설명할 시간이 없습니다. 여러분이 꼭 알아야 할 것은 만약 컨트롤타워에서 10분 이내에 신호를 보내지 않으면 지구가 멸망한다는 것입니다."

기술자 공룡이 사방을 두리번거렸지만 까만 개미들은 전부 똑같아 보였다. 통역기가 가리키는 방향을 보니 제어판 위에 개미 세 마리가 있었다. 조금 전 그 말은 그중 하나가 한 것이었다. 기술자 공룡은 개미 세 마리에게 고개를 저어 보였다.

"발신기가 고장 났어요."

"우리 기술자들이 벌써 끊어진 전선을 모두 잇고 기계를 고쳐 놓았습니다. 어서 기계를 작동시켜 신호를 보내세요!"

기술자 공룡이 다시 고개를 저었다.

"전력이 없습니다."

"예비용 발전기가 있지 않습니까?"

"있지요. 외부 전력이 끊긴 후로 저희는 계속 휘발유 발전기로 전기를 공급해 왔습니다. 그런데 지금은 휘발유도 떨어졌어요. 전부 수로에 부어서 불태워 버렸거든요……. 그런데 세상이 정말로 10분 후에 멸망합니까?"

통역기에서 카치카의 대답이 돌아왔다.

"만약 신호를 보내지 못하면 그렇습니다!"

카치카가 창밖을 보았다. 불은 이미 꺼지고 없었다. 소위의 말대로라면 수로에도 더 이상 휘발유가 없다는 뜻이다. 그는 돌아서서 뤄례에게 물었다.

"카운트다운은 얼마나 남았지요?"

뤄례는 계속 시계를 보고 있다가 그에게 대답했다.

"5분 30초 남았습니다, 집정관님."

차오예가 말했다.

"방금 전화가 왔는데 로라시아 쪽은 이미 실패입니다. 컨트롤타워를 지키는 공룡이 공격을 받고 아예 건물을 폭파해 버렸답니다. 명월의 해제 신호를 보낼 수가 없으니 5분 후면 폭발이 일어날 겁니다."

뤄례가 평온하게 말했다.

"해신도 마찬가지입니다, 집정관님. 모든 게 끝났어요."

공룡들은 개미 연방의 최고 지도자 세 마리가 하는 말을 알아들을 수 없었다.

기술자 공룡이 말했다.

"근처에서 휘발유를 찾을 수 있을 겁니다. 5킬로미터 거리에 마을이 있어요. 서두르면 20분이면 돌아올 수 있어요."

카치카가 더듬이를 맥없이 흔들었다.

"가십시오. 모두 가세요. 가고 싶은 곳으로 가시라고요."

여섯 마리 공룡은 줄줄이 밖으로 나갔다. 기술자 공룡이 문가에서 발걸음을 멈추고 방금 소위가 물었던 질문을 다시 했다.

"몇 분 후면 정말 지구가 멸망합니까?"

개미 연방의 최고 집정관은 그를 향해 미소를 지었다.

"기술자 선생, 무엇이든 마지막 날이 있는 법이잖소."

"허, 개미가 이렇게 철학적인 말을 하는 건 처음 봅니다."

기술자 공룡은 이렇게 말하고 밖으로 나갔다.

카치카는 제어판의 가장자리로 가서 바닥에 까맣게 깔린 개미 군대에게 이야기했다.

"모든 장병들에게 신속하게 나의 말을 전해라. 컨트롤타워 부근의 부대는 즉시 이 건물의 지하실로 숨고, 먼 곳의 부대는 그 자리에서 갈라진 틈이나 구멍을 찾아서 몸을 숨겨라. 개미 연방 정부가 전체 국민에게 마지막으로 전한다. 세계가 최후의 날을 맞았다. 모두 스스로를 지켜라."

"집정관님, 총사령관님, 함께 지하실로 가시죠!"

차오예가 말했다.

"아니요. 어서 가세요, 박사. 우리는 이미 문명사에 너무 큰 과오를 범했습니다. 살아갈 자격이 없어요."

"맞아요, 박사."

뤄례가 말했다.

"가능성은 크지 않지만 문명의 불씨를 지켜 나가기를 바랍니다."

차오예는 카치카, 뤄례와 각각 더듬이를 맞부딪혔다. 개미 세계 최고의 예우였다. 그런 후 차오예는 몸을 돌려 통제실을 벗어나는 개미 무리에 섞여 들었다.

개미 군대가 떠난 후 통제실에는 적막이 흘렀다. 카치카가 창문으로 기어오르자 뤄례가 뒤를 따랐다. 두 개미가 창문으로 막 기어올랐을 때 기가 막힌 경치가 펼쳐졌다. 밤의 끄트머리에 걸린 새벽녘, 하늘에는 희끄무레한 달이 걸려 있었다. 갑자기 초승달이 방향을 바꾸고 밝기도 강해졌다. 그 환한 은빛은 용접 불꽃처럼 눈을 찌를 기세로 환해졌다. 흩어지던 개미 떼를 포함한 대지 위의 모든 것이 솜털 한 가닥까지 낱낱이 보일 정도였다.

"어떻게 된 거죠? 태양의 밝기가 강해진 것일까요?"

뤄례가 궁금한 듯 물었다.

"아니오, 총사령관. 새로운 태양이 또 나타나서 달이 그 빛을 반사시킨 겁니다. 그 태양은 로라시아에서 대륙을 새까맣게 태

우고 있겠지요."

"곤드와나에도 태양이 나타나겠군요."

"그렇잖아도 왔어요."

더 엄청난 빛발이 서쪽에서부터 비추더니 단번에 모든 것을 덮쳐 버렸다. 고온에서 기화되기 직전, 개미 두 마리는 보았다. 눈부시게 번쩍이는 태양이 서쪽 지평선에서 재빠르게 떠올랐다. 급속도로 팽창한 태양은 하늘을 절반이나 차지했고 대지 위의 모든 것이 화르르 타올랐다. 반물질이 쌍소멸을 일으킨 해안가는 이곳에서 수천 킬로미터 밖이니 충격파는 몇십 분 후에야 이곳에 도달할 것이었다. 하지만 그 전에 모든 것은 이미 화염과 함께 끝나 버렸다.

이것이 백악기의 마지막 날이었다.

개미 문명의 기나긴 밤

엄동설한이 3,000년이나 이어졌다.

날씨가 조금 따뜻해진 날의 한낮, 곤드와나 대륙 중부에서 개미 두 마리가 깊은 개미굴을 나와 땅 위로 기어올랐다. 생기라고는 찾아볼 수 없는 어두침침한 하늘 위에서 태양은 흐릿한 빛 덩어리처럼 보일 뿐이었다. 대지는 두꺼운 얼음과 눈으로 뒤덮여 있었다. 가끔씩 눈 속에서 나타난 바위만 새까만 모습을 드러낼 뿐 눈길이 닿는 곳 저 멀리 산맥까지 세상은 온통 새하얗기만 했다.

개미A는 거대한 뼈대를 가늠해 보았다. 이런 커다란 뼈대는 대지 위 어디에나 널려 있었다. 흰색이기 때문에 눈에 뒤섞여 있으면 멀리서는 알아보기가 쉽지 않았다. 하지만 올려다보는 각도에서는 하늘을 배경 삼아 아주 또렷하게 잘 보였다.

"이 동물을 공룡이라고 불렀대."

개미A가 말했다.

개미B도 공중의 뼈대를 뚫어지게 바라보았다.

"어젯밤에 신기한 시대의 전설에 대해서 이야기하는 거 들었어?"

"들었지. 그 몇천 년 전이 개미에게는 최고로 잘나갔던 시대였다고 하던데."

"그래, 그랬다고 하더라고. 그때는 개미들이 지하동굴에서 살지 않고 땅 위에 있는 큰 도시에서 살았대. 태어날 때도 여왕개미에게서 태어나지 않았다니까 정말 신기한 시대야."

"전설에 따르면 그 신기한 시대는 개미와 공룡이 함께 만든 거래. 섬세한 손이 없는 공룡 대신에 개미가 정밀한 일을 하고, 창의력이 없는 개미 대신에 공룡이 신기술을 생각해 낸 거지."

"그 신기한 시대에는 말이야, 개미하고 공룡이 커다란 기계도 엄청 만들고 큰 도시도 많이 세웠다고 했어. 신과 같은 능력을 가졌던 거야!"

"그 세계가 멸망한 이야기도 다 들었어?"

"듣긴 했는데 무슨 말인지는 잘 모르겠어. 아마 되게 복잡한 얘기겠지. 공룡 세계에서 전쟁이 일어나고, 개미하고 공룡 사이에도 전쟁이 일어나고……. 그러다가 나중에 지구에 태양이 둘이나 나타난 거지."

개미A가 시린 바람 속에서 벌벌 떨었다.

"에이, 지금 새 태양이 나타나면 얼마나 좋아!"

"너 아무것도 모르는구나! 태양이 둘이면 얼마나 무서운데. 땅 위에 있는 게 다 타 버린다고!"

"그런데 지금은 왜 이렇게 추워?"

"그것도 아주 복잡한데 아마 이렇게 됐을 거야. 그 태양 두 개가 나타난 이후로 잠깐 동안 이 세상이 엄청 더웠던 거야. 태양에 가까운 땅은 전부 용암이 되었다더라. 그런데 새로운 태양들이 폭발하면서 일어난 먼지가 원래 있던 햇빛을 전부 가린 거야. 그래서 세상이 변하고 두 태양이 나타나기 전보다 더 추워진 거지. 지금처럼 말이야. 공룡은 이렇게 덩치가 커서 그 무시무시한 시절을 지내는 동안 자연스럽게 죽어 없어졌어. 그런데 개미들 중 일부는 지하로 땅을 파고 들어가서 살아남은 거야."

"듣기로는 얼마 전까지 개미도 글자를 읽을 줄 알았대. 지금은 글자도 모르고 고대로부터 내려온 책도 아무도 못 읽지만."

"우리는 지금 퇴화하고 있어. 이대로 간다면 개미는 곧 아무것도 모르는 상태로 퇴화할 거야. 굴이나 파고 먹을 거나 찾는 벌레가 되겠지."

"그게 뭐 어때서? 이렇게 험난한 시대에는 차라리 모르는 게

약이야."

"그건 그래."

"……."

"언젠가 세상이 다시 따뜻해지고 다른 동물이 신기한 시대를 세우는 날이 올까?"

"아마도 그렇겠지. 내 생각에 그 동물은 충분히 큰 뇌와 민첩한 양손을 가지고 있을 것 같아."

"맞아, 그럴 것 같아. 그런데 공룡만큼 커서는 안 될 거야. 너무 많이 먹으면 살기가 힘드니까."

"우리처럼 이렇게 작아서도 안 될 거야. 뇌가 그렇게 크지 못할 테니까."

"휴, 그런 신기한 동물이 어떻게 나타난다는 거야?"

"있을 거라고 생각해. 시간은 무궁무진하니까 어떤 것이든 나타날 수 있을 거야. 틀림없이 무엇이든 나타날 거야."

운명

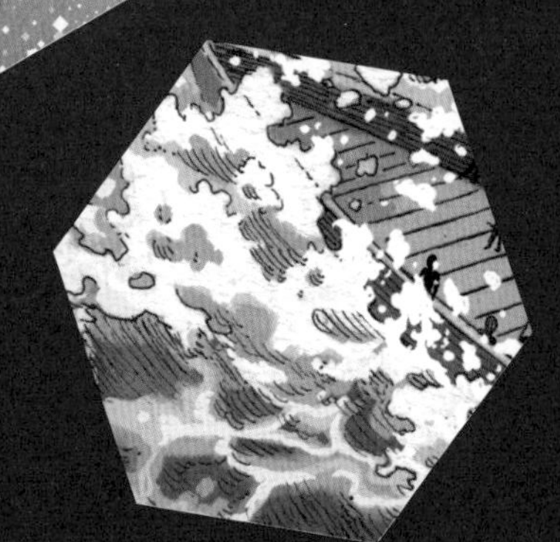

지구를 구하다

우리는 지구에서 180만 킬로미터 떨어진 곳에서 그 소행성을 발견했다. 지름이 약 10킬로미터에 불규칙한 타원형이었다. 소행성이 천천히 회전하자 표면에 있는 수많은 단면이 햇빛을 반사했다. 마치 눈이 깜빡거리며 빛을 발하는 것 같았다. 그런데 우주선의 컴퓨터가 그 소행성의 궤도와 지구궤도가 서로 겹친다는 사실을 알려 줬다. 18일 후, 이 우주의 거대한 돌덩이가 멕시코만 부근에 떨어진다는 것이다!

지구의 관찰 시스템 또한 1년 전에 소행성의 존재를 알았을 것이다. 그러나 우리는 관련 소식을 하나도 듣지 못했다. 지구에 연락을 했지만 수화기에서는 적막만이 감돌았다. 몇 번이나 다시 시도했지만 아무런 대답이 없었다. 인류 전체가 마비라도 된 것처럼 말이다. 분명 10분 전에도 지구와 통화를 했었는데.

이 일은 우리에게 소행성의 출현보다 더 충격적이었다.

20일 전, 나와 에마는 이 작은 우주선을 빌려 우주로 신혼여행을 왔다. 아주 낡은 구식 동력 우주선이었다. 우주비행으로 시공을 초월하는 시대에 이런 달팽이처럼 느린 골동품 우주선은 무척이나 낭만적이고 분위기 있게 느껴졌다. 우리는 같은 궤도상의 우주 도시들을 구경하고 달로 여행을 갔다가 다시 달에서 100만여 킬로미터를 날아왔다. 모든 여정은 시골 풍경처럼 낭만적이었고 순조로웠다. 그런데 돌아가던 길에 모든 것이 갑자기 이상하게 꼬여 버린 것이다.

그 소행성은 전방 50킬로미터 밖에 있었다. 칠흑 같은 우주를 배경 삼아 눈에 확 들어오는 소행성은 마치 검은 벨벳 위에 올려 둔 전시물처럼 현실 그 자체였다. 악몽 따위를 꾸는 것이 절대 아니라는 생각이 들었다.

"우리가 뭐라도 해야 해!"

여느 때와 마찬가지로 내가 무엇인가를 하자고 결정하니 에마는 자세한 방법을 생각해 냈다.

"우주선에 있는 엔진 한 대를 소행성에게로 발사하는 거야. 그러면 폭발이 일어나서 궤도에서 이탈시킬 수 있을 거야."

컴퓨터 시뮬레이션에서도 가능하다는 결과가 나왔다. 하지만 반드시 24분 내에 마무리해야 하며 소행성이 앞쪽으로 더 나아

간다면 너무 늦는다고 했다.

우리는 더 이상 망설이지 않았다. 우주선과 소행성 사이의 안전 거리를 100킬로미터로 늘리고 컴퓨터에 지시를 내렸다. 우주선 꼬리 쪽의 엔진 한 대가 선체에서 분리됐다. 자그마한 원기둥 꼬리가 희푸른 불꽃을 뿜으며 소행성 방향으로 날아가는 것을 둥근 창문을 통해 보았다. 불꽃은 잠깐 사이에 반짝이는 별로 바뀌었다.

우리는 엔진이 우주를 떠도는 돌덩이와 부딪치는 모습을 숨죽이고 지켜보았다. 강한 섬광이 번쩍이고 난 후, 소행성에서 불덩어리가 일어나더니 급속도로 팽창했다. 마치 태양이 우리를 향해 달려드는 것 같았다. 그 불덩어리는 우리 우주선을 거의 집어삼키기 직전에 팽창을 멈추고 다시 급속도로 작아지더니 없어져 버렸다.

소행성이 다시 또렷하게 보였다. 폭발한 엔진이 소행성 위에 구덩이 흔적을 남겼다. 비율로 따져 보니 구덩이의 지름은 최소 3,000미터였다. 수많은 불빛들이 소행성에서 거미줄처럼 사방으로 뻗어 갔다. 폭발로 떨어져 나간 암석의 파편이었다. 그중 하나는 우주선을 아주 가까이 스쳐 지나갔다. 그때 컴퓨터가 소행성의 궤도 진행을 다시 측정했고 우리는 긴장한 채 결과를 기다렸다.

"궤도 변환 성공. 소행성은 지구 표면과 충돌하지 않습니다. 5만 8,037킬로미터 궤도에서 지구로 귀속되어 지구의 위성이 됩니다."

나와 에마는 감격에 겨워 서로를 얼싸안았다.

"우주선 대여 회사에서 우리한테 배상하라고 할까?"

에마가 농담 반 진담 반으로 물었다.

"감히 구세주에게 그런 요구를 해? 게다가 이 소행성의 소유권은 이제 우리한테 있다고. 저기 매장된 광물이 우리를 억만장자로 만들어 줄 거야!"

세상을 구했다는 희열감과 자부심으로 가득 찬 우리는 남은 엔진 한 대로 지구를 향해 날기 시작했다. 그런데 다시 연락을 시도해 보아도 아무런 대답이 없었다. 우리는 다시 불안해졌다. 무슨 일이 생겼는지 상상조차 할 수가 없었다.

엔진이 한 대뿐이어서 우주선의 가속이 너무 느렸다. 그사이 소행성은 우주선을 제치고 재빠르게 지구 쪽으로 사라졌다. 모니터로 소행성을 계속 관찰하던 에마가 갑자기 깜짝 놀라 소리쳤다.

"맙소사, 지구! 지구 좀 봐!"

나는 지구 쪽을 바라보았다. 이 거리에서 지구는 야구공만큼 조그맣게 보였다. 영롱하게 빛나는 파란 구체에서 이상한 점은 전혀 보이지 않았다. 그러자 에마는 모니터에 있는 확대된 영상을 보여 주었다. 힐끔 바라본 나는 깜짝 놀라 얼굴이 하얗게 질려 버렸다. 지구에 있는 대륙들이 여태껏 한 번도 본 적이 없는 형상으로 변해 있었던 것이다.

우리는 컴퓨터에게 도움을 청했다. 이런 답변이 돌아왔다.

"지금 보이는 것은 백악기 후기 지구의 대륙 분포입니다. 그 중 가장 큰 것은 곤드와나 대륙입니다."

"백악기? 지금보다 얼마나 전이지?"

"약 6500만 년입니다. 하지만 여러분의 질문에 오류가 있습니다. 각종 징후들로 보았을 때 지금이 바로 백악기입니다."

컴퓨터가 옳았다. 우리는 그제야 지구 쪽이 왜 그렇게 조용했는지 알아챘다. 인류가 아직 출현하지 않은 것이다.

우리가 있던 시대에서는 인류가 시공간을 초월하는 방식으로 우주를 항해했다. 우주선은 발사 때마다 발사 지점에 하나 혹은 몇 개의 시공 웜홀*을 남겼고 이 웜홀은 지구 주위의 우주를 떠돌았다. 만약 우주선이 잘못해서 웜홀로 들어가면 순식간에 수만 광년이나 떨어진 곳으로 던져졌고, 시간 역시 앞이나 뒤로 아주 긴 기간을 뛰어넘었다. 나중에 개선된 우주선은 그나마 공

* 우주에서 서로 다른 두 시공간을 연결하는 이론상의 통로를 뜻한다.

간적 특성은 없고 시간적 특성만 있는 웜홀을 남겼다. 이 웜홀을 통과하면 위치는 변하지 않되 시간만 뛰어넘게 된다는 말이다. 이런 웜홀은 위험성을 크게 줄여 주었다. 실수로 들어간다고 해도 항로를 되짚어 반대쪽에서 다시 웜홀을 통과한다면 원래 시간으로 정확하게 되돌아갈 수 있었다.

우리가 바로 그 시간 웜홀로 잘못 들어간 것이었다. 아까는 조금도 깨닫지 못했지만 말이다.

시간 웜홀로 들어가는 사고는 종종 발생했지만 과거로 시간을 거슬러 간 우주선은 모두 돌아왔다. 캄브리아기로 돌아간 광석 채굴선이 있었는데 우주비행사들은 암홍색으로 빛나는 지구를 보았다고 했다. 바다도 생기지 않았고 땅 위로 용암이 흘러넘치는 모습이었다고 했다. 반대로 미래로 시간을 앞질러 간 우주선은 모두 돌아오지 않았다. 그 덕분인지 현재의 사람들은 미래가 아름다울 것이라고 기대했다.

그러나 지구 정부가 가장 신경 쓰는 것은 과거로 가는 것이었다. 웜홀을 통해 과거로 돌아간 우주선은 반드시 돌아와야 한다는 엄격한 법이 있었다. 일어날 확률은 극히 적지만 만약 웜홀을 타고 돌아오지 못한다면 지구의 역사를 바꾸게 되지 않도록 지구에서 충분히 먼 우주로 날아가 자폭해야 했다.

"세상에, 우리가 도대체 무슨 짓을 한 거야?"

에마가 놀라서 소리를 질렀고 나는 마음이 착잡해졌다. 눈 깜짝할 사이에 우리는 지구의 구세주에서 악마가 되어 버린 것이다.

“걱정 마, 사소한 오류가 전부 나비효과를 불러일으키는 건 아니니까.”

나는 에마를 위로했다.

“사소한 오류? 우리가 한 일을 겨우 사소한 오류라고 말할 수 있어?”

에마는 돌연 무엇인가 생각난 듯 컴퓨터에게 물었다.

“지금이 백악기 후기라고?”

컴퓨터는 그렇다고 대답했고 우리는 깨달았다. 방금 우리가 밀어낸 돌덩이는 바로 공룡을 멸종시킬 소행성이었다.

한참 동안 침묵이 흐르고 에마가 작게 말했다.

“우리 돌아가자.”

우리는 항로를 반대로 돌려 우주선이 왔던 길을 정확히 되돌아가도록 만들었다.

“돌아가선 어떡하지? 심판을 받을까?”

내가 한숨을 쉬며 말했다.

“그건 그나마 최선의 결과겠지. 심판할 사람이 있고 인류가 존재하기라도 한다면 우리가 죽는대도 마음이 놓일 것 같아.”

나는 웃으며 고개를 흔들었다.

"그건 쓸데없는 걱정이야, 에마. 인류 문명이 왜 지구상의 다른 생물 종보다 훨씬 앞서는지 생각해 본 적 있어? 개미나 돌고래 같은 동물들은 사회를 구성하고 지능도 가지고 있지만 문명 수준이 우리에게 한참 못 미치는 이유가 뭘까? 종이 진화할 기회는 균등한데 말이야."

"왜 그런 건데?"

"인류는 만물의 영장이니까. 우주가 우릴 선택한 거야. 우리의 문명이 여기까지 발전해 온 것에 자부심을 가져! 우리가 돌아갈 세상은 우리가 온 곳과는 다르겠지. 하지만 인류는 분명히 존재할 거야. 문명도 이루었을 거고!"

에마는 웃었다.

"당신이 인류 원리*의 신봉자라는 걸 내가 깜빡 잊고 있었네."

에마는 가슴 앞에 십자가를 그었다.

"그렇게 되기만을 빌어."

* 인간의 존재 자체가 우주의 다양한 물리법칙의 특성을 설명할 수 있다는 인간 중심적인 우주론을 말한다.

동물원 안 구세주

다시 시간 웜홀을 통과할 때 우리는 분명 느낄 수 있었다. 우주가 사라지고 다시 나타나는 과정은 마치 눈을 깜빡이는 것처럼 너무나 짧은 순간에 이루어졌다. 웜홀을 처음 통과했을 때 전혀 깨닫지 못한 것도 무리는 아니었다.

웜홀을 통과한 순간, 고요하던 지구 쪽에서 소란스러운 무선 신호가 곧바로 날아들었다. 그러나 우리의 흥분은 금세 실망으로 바뀌었다. 그 신호들은 마치 낮은 울음소리처럼 들렸고, 우리 두 사람과 컴퓨터가 전혀 이해할 수 없는 소리였기 때문이다. 우리는 지구를 향해 호출 신호를 보냈지만 여전히 답신이 없었다. 모니터에 나타난 지구의 영상을 보니 대륙의 모습이 익숙한 형상으로 되돌아가 있어 걱정을 한시름 덜 수 있었다. 진짜 나비효과가 일어났다 해도 최소한 천지가 뒤집히는 일은 일어나지 않았다.

우리의 작은 우주선은 하나뿐인 엔진을 이용해서 지구로 날아갔다. 이틀 후, 지구 저궤도*에 진입했다. 우주선에는 겨우 착륙할 연료밖에 남지 않아서 우리는 오스트레일리아와 가까운 태평양 위에 내려앉을 수밖에 없었다. 우주선은 재빠르게 가라앉았고 우리는 작은 구명정 하나에 의지해 바다 위에 떠 있었다. 이른 새벽, 해도 아직 뜨지 않은 시간이었다. 사방을 둘러보니 바다는 익숙한 그 바다였고 하늘도 익숙한 그 하늘이었다. 거의 아무 변화도 생기지 않은 것 같았다.

바다 위에서 30분쯤 표류하는데 저 멀리 커다란 배가 보였다. 우리는 신호탄을 쏘아 조난신호를 보냈고 그 배는 우리 쪽으로 다가왔다.

"와, 진짜 인류가 있잖아!"

소리를 지르는 에마의 눈에서는 감격의 눈물이 솟아났다.

"인류는 만물의 영장이라고 했잖아. 언제나 지구 문명의 정상에 우뚝 설 존재라고."

"그렇지만 지금 이 세계는 분명 우리가 출발했던 그 세계가 아니야. 저 배 생긴 것 좀 봐. 인류가 아직 과학기술의 시대로

* 지구 표면으로부터 고도 2,000킬로미터까지의 인공위성궤도를 말한다.

접어들지 못했나 봐."

에마가 약간 무서운 듯 이야기했다.

그 배의 외형은 매우 진부했다. 우리가 생활했던 현대의 선박은 절대 아니었다. 그렇지만 그게 꼭 이 세계의 기술이 낙후됐다는 뜻은 아니었다. 나는 그 배에 돛이 없다는 사실에 주목했다. 어떤 동력으로 움직이는지 알 수 없었다.

큰 배는 우리에게 가까이 다가와 멈추었다. 뱃전에서 줄사다리가 하나 던져졌고 나와 에마는 사다리를 타고 배로 올라갔다. 배에 탄 사람들은 모두 피부가 까무잡잡해서 어떤 인종인지 구분할 수가 없었다. 투박하고 거친 옷은 닳고 닳아 있었다. 내가 그들에게 뭐라고 말했지만 그들은 대답하지 않았다. 그중 한 사람이 따라오라는 눈치를 보냈다.

우리는 긴 계단을 따라 배 중앙의 탑처럼 생긴 건물로 올라갔다. 여기서는 배 전체를 내려다볼 수 있었다. 선원은 건장한 체격에 은발 수염을 가진 노인 앞으로 우리를 데리고 갔다. 그리고 뭐라고 말을 했는데 우리는 그의 언어를 알아들을 수가 없었다. 내가 앞가슴에 차고 있던 컴퓨터가 그것을 알아듣고 알려주었다.

"고대 라틴어와 유사한 언어입니다. 조금 다르지만 이해할 수 있습니다. '우리의 선장입니다'라는 뜻입니다."

선장도 우리에게 말을 걸었고 컴퓨터가 통역을 했다.

"당신들은 어찌 감히 바다 위에 떠 있습니까? 잡아먹힐까 봐 두렵지 않습니까?"

"잡아먹어요? 뭐가요?"

나는 이해할 수 없다는 듯 물었고 컴퓨터는 내 말을 통역해서 전했다.

선장이 앞쪽 바다를 가리켰다. 마침 태양이 떠오르고 있었다. 수면 위에서 옅은 새벽안개가 황금색 햇빛을 반사시켰다. 방금까지 잔잔하던 수면 위로 커다란 공기 방울이 불룩하게 솟아올라 터지더니 거대한 괴수가 솟구쳤다. 이어서 한 마리가 더 올라왔고 쏴쏴 소리와 함께 수면 위에 괴수가 한가득 나타났다. 바로 그때 나와 에마는 우리가 6500만 년 전에 저지른 일이 어떤 결과를 가져왔는지 깨달았다.

공룡이 지금까지 계속 살아남은 것이다.

공룡 한 마리가 헤엄쳐 와서 배 옆에서 멈추었다. 그 거대한 덩치는 마치 무시무시하게 솟은 산봉우리 같았다. 우리는 모두 이 산봉우리의 그림자 속에 서 있었다. 미끌미끌한 회색 피부 아래로 얼기설기 뻗어 나간 검은 핏줄은 회색 산봉우리를 휘감은 나무 덩굴처럼 보였다. 공룡의 두꺼운 목덜미가 바로 우리 위에 있었고 바닷물이 폭우처럼 갑판 위로 쏟아져 내렸다. 엄청

나게 커다란 괴수의 눈이 우리를 물끄러미 바라보았다. 그 차가운 눈빛은 피까지 얼어붙게 만들었다. 에마는 온몸을 부들부들 떨면서 나에게 꼭 붙어 있었다.

"무서워 마세요. 사람을 해치지는 않아요. 여기는 동물원이거든요."

선장이 말했다.

아니나 다를까, 공룡은 우리를 바라만 보더니 뒤돌아서 헤엄쳐 갔다. 그가 일으킨 파도가 철썩철썩 뱃전을 때리자 배가 기우뚱거렸다. 그때 우리는 저 멀리 바다 위에 이런 배가 하나 더 있는 것을 보았다. 공룡 두 마리가 그 배를 향해 헤엄쳐 가고 있었다.

에마가 흥분해서 외쳤다.

"공룡을 길들인 건가요? 정말 굉장해요!"

나 역시 매우 들떴다.

"그러게. 우린 공룡이 생존하면 인류의 진화에 위협이 될 거라고 생각했는데 지금 보니 오히려 인류 문명을 더욱 강대하게 만들었어!"

에마가 고개를 끄덕였다.

"그래! 공룡이 소나 말보다 훨씬 강할 테니까 작은 산 하나 정도 옮기는 건 일도 아닐 거야! 당신 말이 맞았어. 인간은 진짜 만물의 영장이야! 앞으로는 나도 인류 원리의 신봉자가 될 거야!"

컴퓨터가 우리의 말을 통역했다. 선장이 어찌 된 영문인지 모르겠다는 표정으로 어리둥절하게 우리를 보았다.

"여기는 동물원이에요. 저들은 사람을 해치지 않습니다."

그는 다시 웅얼거리는 소리로 말했다.

바로 그때, 나는 또 한 번 깜짝 놀랐다. 수평선 너머로 높고 커다란 기둥이 우뚝 서 있었던 것이다. 기둥은 놀라울 만치 높았다. 하얀 구름이 기둥의 중간쯤을 떠다닐 정도였다. 우리는 마치 커다란 숲을 바라보는 개미가 된 듯했다. 나는 선장에게 저게 무엇인지 물었다.

"빌딩 숲이지요. 해안가 위의 고층 빌딩 숲이요."

선장이 무덤덤하게 이야기했다.

"세상에 건물이 얼마나 높은 거예요?"

에마가 외쳤다.

"당신 키의 1만 배는 될 겁니다."

"1만 미터가 넘는 빌딩이라고요? 그럼 몇천 층은 되겠군요?"

내 물음에 선장이 고개를 저었다.

"아니요, 100층 정도밖에 안 됩니다."

"그럼 층마다 높이가 100미터는 된다고요? 정말 으리으리한

궁전 같아요!"

"문명은 위대해요. 인류 문명은 정말 위대합니다!"

에마는 진심으로 감탄했고 나는 환호성을 지르기 시작했다.

"저 고층 건물은 관람객을 위해 지은 겁니다."

"관람객? 아, 여기가 동물원이라고 했죠, 당신들도 관람객인가요? 관람객처럼 보이지는 않는데."

"시간이 일러서 동물원은 아직 개장을 안 했나 봐요."

선장은 어처구니없다는 듯 우리를 보더니 다시 저 멀리 수면 위에 있는 공룡들에게로 고개를 돌렸다. 그의 이런 행동에 우리는 불길한 예감이 들었다. 앞에 서 있는 이들의 쭈뼛거리는 표정도 우리를 점점 헷갈리게 했다.

그때, 공룡 무리 쪽에서 익숙한 울음소리가 들려왔다. 우리가 우주에서 지구로 무선전파 신호를 보낼 때 들렸던 소리였다. 다시 그 1만 미터가 넘는다는 건물을 본 나는 머릿속에서 하늘이 무너지는 소리가 들렸다. 곁에 있던 에마는 비명을 지르며 땅바닥에 털썩 쓰러지고 말았다. 나처럼 모든 걸 알아챈 것이 분명했다.

우주는 인간을 선택하지 않았다. 우리의 세계에서는 인류 문명이 지구에서 가장 독보적인 위치에 올랐다. 그러나 그건 그저 우연이었고 인류 특유의 자만심이 우연을 필연으로 가장한 것이었다. 지금, 대자연이 던진 진화의 동전은 반대쪽으로 뒤집어져 있었다.

우리가 지구 문명의 동물원 안에 있는 것은 확실했다. 그러나 관람객은 공룡이었다.

나는 두 다리에 힘이 쭉 빠져서 에마와 함께 갑판 위에 주저앉았다. 눈앞이 칠흑처럼 캄캄해지고 컴퓨터가 선장의 말을 통역하는 소리만이 들려왔다.

"두 분도 차림새가 아주 깨끗하시니 우리와 함께 지냅시다. 관상용 인간으로 허락받을 수 있을 거예요."

"관상용 인간?"

나는 어이가 없었다. 눈앞의 세상이 점차 또렷하게 보여서 수평선의 고층 빌딩 숲을 또 한 번 바라보았다. 옆에서 에마가 중얼거리는 소리가 들렸다.

"아니, 육지로 나갈 거야……."

"미쳤어요? 육지로 나가면 식용 인간이 될 거예요!"

"식용 인간?"

"식품으로 쓰이는 인간이요. 저 도시로 매일 식용 인간을 수천 명씩 공급한다고요! 동물원 안에 있는 관상용 인간만이 잡아먹히지 않을 수 있어요. 그게 모든 사람들이 바라는 목표라고요."

그 순간 온 세상이 컴컴한 얼음 동굴로 변해 버린 것 같았다.

우리는 완전한 절망에 휩싸였다. 살고 싶다는 믿음조차 잃은 나는 어떻게 삶을 마무리해야 할지를 생각하기 시작했다. 에마가 갑자기 손으로 허공을 가리키며 고함을 질렀다.

"저기 봐!"

밝게 빛나는 별 하나가 있었다. 떠오르는 해의 빛줄기에 숨어 있다가 지금에야 확실히 보인 것이다. 그 별은 움직이는 속도가 아주 빨랐다. 공중에서 움직이고 있다는 것이 눈에 보일 정도였다. 자세히 보니 반짝이는 빛뿐만 아니라 크기까지 알아볼 수 있었다.

"마귀별입니다."

선장이 말했다.

"관람객 중에서 한 과학자가 말하더군요. 공룡들이 저 별에 대해서 자세히 연구했는데 저 별이 아주아주 오래전에 지구를 향해 돌진해 왔대요. 그런데 구세주가 단 한 번의 강력한 폭발을 일으켜서 별을 밀어낸 덕분에 자기 선조들이 멸종을 피할 수 있었답니다. 지금도 마귀별 표면에는 폭발 때문에 생긴 구덩이가 남아 있대요. 저기 보시면……."

선장이 멀리 보이는 도시 중에서도 가장 높고 크게 솟은 건물을 가리켰다.

"저게 대성당입니다. 관람객들은 저 안에서 구세주를 경배하지요."

"여러분, 우리가 어떻게 여기까지 왔는지 아세요?"

선장이 고개를 저었다. 그는 내 말에 관심이 없었다. 호기심이라는 것은 최고의 경지에 오른 종에게만 있었던 것이다. 그들에게 호기심이라고는 기대할 수 없었다. 우리가 살던 세계에서 개미와 꿀벌에게 호기심이 없던 것과 꼭 같았다.

나는 에마와 나 자신에게 이야기했다. 어쩌면 나를 이해하지 못하는 그들에게 한 이야기일지도 몰랐다.

"진화의 운명은 냉혹해. 예전에는 인류가 스스로 운이 좋다는 사실도 모르고 살았던 거야. 하지만 지금의 인간은 개미와 꿀벌에 비해서 더 많은 기회를 가졌어. 이 기회를 붙잡아야 해. 운명에 굴복해서는 안 돼."

에마가 내 말에 동의한다는 투로 말했다.

"맞아, 어차피 실수로 지구의 역사를 한 번 바꿨으니까 다시 한번 바꾸지 뭐."

나는 하늘 높이 우뚝 솟은 대성당을 보았다. 그리고 수면 위의 공룡 무리를 가리키며 선장에게 물었다.

"저들은…… 저 관람객들은 구세주를 숭배하겠죠, 그렇죠?"

선장이 끄덕였다.

"저들한테 구세주는 절대 신이죠."

나와 에마는 스크린을 가슴 앞에 있는 컴퓨터와 연결하고 우주선의 항해 기록을 검색해서 우리가 6500만 년 전에 소행성의 궤도를 바꾼 사실을 찾아냈다. 데이터 수치와 영상이 모두 완벽하게 기록되어 있었다.

"저들의 말을 할 수 있으세요?"

에마가 묻자 선장이 고개를 끄덕였다. 내가 이어서 말했다.

"그럼 좋아요. 저들에게 알리세요. 우리가 바로 마귀별을 밀어낸 구세주이고 확실한 증거도 제시할 수 있다고요."

선장과 선원들은 어리둥절해서 우리를 바라만 보고 있었다.

"빨리요! 나중에 여러분께 인류에 관한 이야기를 해 드릴게요. 지금은 어서 제 말을 저들에게 전하세요!"

선장은 두 손을 입가에 대고 나팔을 만들어서 공룡에게 소리를 질렀다. 공룡이 부르짖는 소리보다 훨씬 가늘고 약한 소리였다. 그들과 같은 말을 하고 있다고는 믿기 어려웠다.

그러나 소리를 들은 공룡들이 일제히 구경을 멈추고 우리 쪽을 돌아보았다. 그리고 우리의 배로 헤엄쳐 오기 시작했다.

섬유

섬유

“저기요, 당신, 섬유를 잘못 들어왔어요!”

내가 이 세계로 오고서 들은 첫 마디이다. 나는 F-18을 몰고 루스벨트호로 돌아가던 중이었다. 대서양 상공에서 평소대로 순회 비행을 하던 나는 별안간 이리로 오게 됐다. 엔진출력을 최대로 올렸는데도 전투기는 거대한 투명 돔에 걸려 꼼짝도 하질 않았다. 마치 보이지 않는 힘에 의해서 고정된 것 같았다.

밖에는 커다랗고 누런 행성이 있었다. 행성을 둘러싼 종잇장처럼 얇은 고리는 행성 표면에 그림자를 드리우고 있었다. 난 그렇게 바보는 아니다. 꿈이 아니라는 것을 알았고, 이것은 현실이라는 것도 알았다. 이성과 냉철함은 내 주특기이다. 그렇기 때문에 내가 90퍼센트의 탈락률을 딛고 F-18을 몰게 된 것이다.

“우발 진입자 등록처로 가세요! 일단 비행기에서 내리셔야죠."

목소리는 내 헤드셋에서 들려왔다. 나는 아래를 내려다보았다. 전투기가 매달려 있는 높이가 족히 50미터는 되어 보였다.

"뛰어내려요. 여긴 중력이 크지 않아요!"

조종석 유리 덮개를 열고 두 다리로 일어서는데 몸이 저절로 튀어 올랐다. 비상 탈출용 의자가 솟아오른 것처럼 조종실에서 튀어나온 나는 살랑살랑 땅바닥으로 떨어져 내렸다.

반질반질 광이 나는 유리 바닥에는 몇 명이 한가롭게 거닐고 있었다. 그들을 보고 가장 심상치 않다고 느낀 부분은 바로 너무나 평범하다는 것이었다. 그들의 옷차림이나 생김새는 당장 뉴욕의 번화가를 거닌다 해도 전혀 눈길을 끌지 않을 것 같았다. 그런데 이런 곳에서는 이런 평범함이 더욱더 이상하게 느껴졌다. 그러다가 나는 그 등록처라는 곳을 발견했다. 거기에는 등록관 외에도 세 사람이 더 있었다. 모두 나처럼 우연히 여기로 오게 된 우발 진입자인 듯했다.

"이름이?"

내가 다가가자 등록관이 물었다. 까무잡잡하고 마른 그 등록관은 지구의 말단 공무원과 같은 모습이었다.

"여기 말을 잘 못 알아들으면 통역기를 사용하세요."

등록관은 옆 테이블 위에 있는 이상한 기계를 가리켰다.

"하지만 필요 없을 것 같군요. 우리들의 섬유는 전부 가까우니까."

"데이비드 스콧입니다."

대답을 하고 바로 물었다.

"여긴 어딥니까?"

"여기는 섬유 환승역입니다. 속상해할 필요 없어요. 섬유를 잘못 찾아드는 건 흔한 일이니까. 직업은요?"

나는 투명 돔 바깥쪽, 고리가 있는 누런 행성을 가리켰다.

"그럼, 저건 어디지요?"

고개를 들어 나를 보는 등록관의 표정은 귀찮음만 가득할 뿐 생기라고는 찾아볼 수 없었다. 매일 이런 일을 처리하고 이런 사람들을 만나는 것에 진절머리가 난 모양이었다.

"당연히 지구지요."

"저게 어떻게 지구란 말이죠?"

나는 버럭 소리를 질렀다. 그런데 갑자기 한 가지 가능성이 떠올랐다.

"지금이 언제입니까?"

"오늘 날짜를 묻는 겁니까? 2001년 1월 20일이요. 당신 직업이 뭐죠?"

"확실해요?"

"뭐가요? 날짜요? 당연하죠. 오늘은 미국의 새 대통령이 취임하는 날이니까요."

여기까지 듣고 나는 안도의 한숨이 나왔다. 그래도 어느 정도 소속감이 느껴졌다. 그들은 지구인이 분명했다.

"앨 고어 그 등신은 어떻게 대통령에 당선된 거야?"

옆에 있던 세 사람 중 갈색 코트를 걸친 사람이 말했다.

"잘못 아셨군요. 대통령으로 당선된 것은 부시입니다."

내가 그의 잘못을 정정했지만 그는 계속 앨 고어가 대통령이라고 고집을 부렸고 우리는 말다툼을 하기 시작했다.

"저는 당신들이 무슨 말을 하는지 모르겠네요."

뒤에 있던 남자가 말했다. 그는 아주 클래식한 외투를 입고 있었다.

"이 두 사람은 섬유 거리가 아주 가까워서 그래요."

등록관이 설명하더니 또다시 나에게 물었다.

"당신 직업이 뭐지요, 선생?"

"직업이 어쩌고 하는 소리 좀 하지 마세요. 나는 여기가 어딘지 알고 싶다고요. 밖에 있는 저 행성은 절대로 지구가 아닙니다. 지구가 어떻게 노란색일 수가 있죠?"

"맞는 말입니다! 지구가 어떻게 저런 색일 수가 있죠? 우리가 바보인 줄 아세요?"

갈색 코트를 입은 사람이 등록관에게 말했다.

등록관이 어쩔 수 없다는 듯 고개를 도리도리 저었다.

"그 말은 웜홀이 생긴 이래로 제가 가장 많이 들어본 말이네요."

나는 갈색 코트를 입은 사람에게 금세 친밀감을 느껴 그에게 물었다.

"당신도 섬유를 잘못 들어온 겁니까?"

사실 나도 이 말이 무슨 뜻인지 잘 몰랐지만 말이다.

그는 고개를 끄덕였다.

"이 두 분도요."

"당신은 비행기를 타고 왔나요?"

그는 고개를 저었다.

"아침에 조깅을 하다가 뛰어 들어왔어요. 저 두 분의 상황은 조금 다르기도 하고 비슷하기도 합니다. 걷다 보니 갑자기 모든 것이 변하고 여기로 오게 되었답니다."

나는 이해한다는 듯 고개를 끄덕였다.

"그래서 여러분이 제 말을 알아들으시는군요. 밖에 있는 저 행성은 절대로 지구가 아니잖아요!"

그들 세 사람은 연신 고개를 끄덕였다. 나는 득의양양하게 등록관을 힐끔 보았다.

“지구가 어떻게 저런 색입니까? 우리가 바보 천치예요?”

갈색 코트를 걸친 사람이 다시 한번 이야기했다. 나도 따라서 고개를 끄덕거렸다.

“바보 천치도 알아요. 지구는 우주에서 보면 진보라색이라고요!”

내가 어리둥절한 사이 클래식한 외투를 입은 사람이 갈색 코트를 걸친 사람을 향해 이야기했다.

“당신 색맹이지요?”

나는 이번에도 고개를 끄덕였다.

“아니면 진짜 바보 천치거나.”

클래식한 외투를 입은 사람이 덧붙였다.

“지구의 색깔은 대기의 빛산란과 해양의 빛 반사로 인해서 결정된다는 걸 누구나 다 알고 있습니다. 그래서 결정된 색깔은 당연히…….”

나는 끊임없이 고개를 끄덕였다. 클래식한 외투를 입은 사람 역시 이야기를 하면서 나를 향해 고개를 끄덕였다.

“짙은 회색이지요.”

“당신들 전부 바보예요?”

옆에 있던 아가씨가 처음으로 입을 열었다. 그녀는 날씬하고 얼굴도 예뻤다. 그때 내 마음이 답답하고 심란하지만 않았다면 분명 그녀에게 끌렸을 것이다.

"누구나 알다시피 지구는 분홍색이에요! 하늘도 분홍색, 바다도 분홍색이잖아요. 이런 노래도 못 들어봤어요? '난 매력적인 아가씨, 파란 구름 같은 내 눈동자, 분홍 하늘 같은 내 두 뺨……'"

"직업이 뭐죠?"

등록관이 또 물었다. 나는 그에게 고래고래 소리를 질렀다.

"그렇게 자꾸 직업 따위나 묻지 말고 여기가 어딘지 말하라고요! 여긴 지구가 아니잖아요! 당신네들 지구는 노란색이라고 칩시다. 그럼 저 고리는 어떻게 된 거죠?"

이번에는 우리 우발 진입자 네 사람의 의견이 일치했다. 그들 세 명도 지구에는 고리가 없고 토성, 천왕성, 해왕성에 고리가 있다는 데 모두 동의한 것이다.

아가씨가 말했다.

"지구는 세 개의 위성이 있을 뿐이죠."

"지구는 위성이 하나밖에 없어요!"

나는 그녀에게 외쳤다.

"그럼 연애를 할 때도 얼마나 지루할까. 당신들은 두 사람이 손을 잡고 해변을 산책할 때 첫 번째 달, 두 번째 달, 세 번째 달이 모래밭 위로 여섯 개의 그림자를 드리우는 낭만을 어떻게 느끼죠?”

클래식한 외투를 입은 사람이 답했다.

“나는 그 모습이 공포스러울 뿐 전혀 낭만적이지 않습니다. 지구에 위성이 없다는 건 누구나 알잖아요.”

“그럼 당신들의 데이트는 훨씬 더 재미가 없겠네요.”

“어떻게 그런 말을 할 수 있지요? 두 사람이 다정하게 모래사장에서 목성이 떠오르는 것을 보는 게 재미없다고요?”

나는 이해할 수 없다는 표정으로 클래식한 외투를 입은 사람을 쳐다보았다.

“목성? 목성이 뭐 어째요? 당신들은 데이트를 하면서 목성도 볼 수가 있습니까?”

“당신은 장님이오?”

“난 조종사예요. 눈이라면 당신들보다 훨씬 좋다고요!”

“그런데 어떻게 그 갈색 왜성을 못 볼 수가 있죠? 아니 왜 그런 눈으로 봅니까? 목성의 질량이 너무 커서 그 인력이 8000만 년 전에 내부에서 핵반응을 일으켰고, 그로 인해 갈색 왜성이 됐다는 걸 모른단 말이에요? 그것 때문에 공룡이 멸종했다는 걸 모른단 말입니까? 학교도 못 다녔어요? 아무리 그렇다고 해도 목성이 은빛 여명 속에서 혼자 떠오르는 모습을 봤을 거잖아요? 목성과 태양이 함께 떨어지는 그 시와 같은 황혼의 풍경을 보았잖아요? 아이고, 이 사람 참."

나는 마치 정신병원에 온 것 같아서 등록관을 향해 돌아섰다.

"조금 전에 직업을 물었죠. 좋습니다. 전 미국 공군 소령 조종사입니다."

"와!"

아가씨가 소리를 질렀다.

"미국인이에요?"

나는 고개를 끄덕였다.

"그럼 분명히 검투사겠죠! 뭔가 다르다는 걸 진작에 알아봤어요. 전 와와니라고 해요. 인도 사람이고요. 우리 친하게 지내요!"

"검투사? 그게 미국하고 무슨 관련이 있죠?"

나는 갈피를 잡을 수가 없었다.

"미국 국회에서 검투사와 검투장을 없애려고 한다는 걸 알고 있어요. 그런데 아직까지 그 법안이 통과된 건 아니잖아요? 게다가 부시는 그 아버지하고 똑같은 살인마니까 취임하고 나면 법안이 통과될 희망은 사라지겠죠. 제가 그것도 모를 것 같아요? 최근에 애틀랜타에서 치러진 올림픽 검투 대회에도 갔었어요. 아 참, 표를 못 구해서 가장 낮은 등급 자리에 앉아 형편없는 수준의 검투 경기를 보았지만요. 그게 뭔지. 두 사람이 한데 얽혀서는 칼도 다 떨어트리고 피는 한 방울도 못 봤어요."

"고대 로마를 말씀하시는 거죠?"

"고대 로마? 그 약해 빠진 시대요? 제대로 된 남자라고는 없던 시대잖아요. 그때는 죄인한테 내리는 제일 무거운 형벌이 닭을 죽이는 모습을 보게 하는 거였다던데요. 그것도 백이면 백 전부 기절해 버렸고요."

와와니는 나에게 다정하게 기대왔다.

"그런데 당신은 검투사잖아요."

나는 뭐라고 대답해야 할지, 심지어 어떤 표정을 지어야 할지도 알 수 없었다. 그래서 다시 등록관에게 물었다.

"또 물어볼 게 있나요?"

등록관이 나를 바라보며 고개를 끄덕였다.

"바로 그겁니다. 우리 열 명이 서로서로 도와야 일이 빨리 끝납니다."

나, 와와니, 갈색 코트를 입은 사람과 클래식한 외투를 입은 사람은 사방을 두리번거렸다.

"우리는 총 다섯 명 뿐이잖아요?"

"다섯이 뭐죠?"

등록관은 난감한 표정을 지었다.

"당신들 넷에 나를 더하면 열 아닌가요?"

"당신 정말 바보예요?"

클래식한 외투를 입은 사람이 말했다.

"숫자를 모르면 내가 알려 줄게요. 다다에 1을 더해야 10이에요!"

이번에는 내가 당황했다.

"다다가 뭡니까?"

"당신 손가락하고 발가락 수를 합하면 얼마죠? 10이에요. 그중에 손가락이나 발가락 하나를 빼면 남은 숫자가 바로 다다죠."

나는 고개를 끄덕였다.

"다다는 19로군요. 그러면 당신들은 이십진법을 쓰는 것이고 저분들은."

나는 등록관을 가리켰다.

"오진법을 쓰는 거네요."

"당신은 검투사고요……."

와와니가 손가락으로 내 얼굴을 다정하게 쓰다듬었다. 왠지 포근한 느낌이었다.

클래식한 외투를 입은 사람이 경멸하듯이 등록관을 흘긋 보았다.

"얼마나 미련한 진법인지. 손이 두 개, 발이 두 개나 있는데 수를 셀 때 그중 4분의 1밖에 쓰질 않으니."

등록관은 큰 소리로 반박했다.

"당신이야말로 미련하겠지! 한 손에 있는 손가락으로도 수를 셀 수 있는데 뭐 하러 손모가지하고 발모가지를 디밀어?"

내가 모두에게 물었다.

"그럼 여러분 컴퓨터의 진법은요? 컴퓨터는 다들 있는 거죠?"

우리는 또다시 의견이 일치했다. 모두들 컴퓨터는 이진법을 쓴다고 했다.

갈색 코트를 걸친 사람이 말했다.

"그건 당연한 거죠. 안 그랬으면 컴퓨터는 발명되기 어려웠을 겁니다. 어차피 두 가지 상태만 있을 뿐이니까요. 콩알이 대쪽의 구멍으로 들어가거나 들어가지 못하거나."

나는 또 무엇인가에 홀린 것 같았다.

"대쪽……? 콩알이요?"

"보아하니 정말 학교에 다니지 않았나 보군요. 주나라 문왕이 컴퓨터를 발명한 일은 상식이죠."

"주 문왕? 그 동양의 점쟁이요?"

"말이 지나치군요. 어떻게 사이버네틱스*의 창시자를 그렇게 표현합니까?"

* 생물과 기계의 정보 전달 및 통신에 관한 이론과 기술을 연구하는 학문이다.

"그 컴퓨터가……. 설마 중국의 주판을 말하는 겁니까?"

"주판은 무슨 주판, 컴퓨터라고요! 바닥 면적이 축구장만큼 크고 대쪽과 송판으로 만들어졌어요. 누런 콩을 연산 매개로 이용하고 100마리 소로 움직입니다! 그래도 CPU는 아주 정교하게 만들어졌어요. 작은 건물 크기 정도밖에 안 되고 대나무로 만든 누산기*는 아주 걸작이죠."

"프로그래밍은 어떻게 하죠?"

"대쪽에 구멍을 뚫어서 하죠. 출토된 청동 송곳은 아직도 베이징 고궁박물관에 있다고요! 주 문왕이 개발한 '역경 3.2'는 수백만이 넘는 코드로 이루어졌고 뚫은 대쪽의 길이는 수천 킬로미터는 될……."

"당신은 검투사잖아요……."

와와니가 나에게 기대며 말했다.

"우리 일단 등록부터 할까요? 그러고 나서 여러분께 전부 설명해 드리죠."

등록관이 귀찮다는 듯 말했다.

나는 밖에 있는 고리 달린 노란 지구를 보며 한참을 고민하다가 말했다.

* 연산 결과를 일시적으로 기억하는 컴퓨터 CPU 내 기억장치를 말한다.

"알 것도 같네요. 학교를 안 다니진 않았습니다. 양자역학에 대해서도 알고요."

"저도 좀 알 것 같군요."

클래식한 외투를 입은 사람이 말했다.

"지금 보니 양자역학의 다중우주* 해석이 정확한 것이었어요."

클래식한 외투를 걸친 사람은 이들 중에서 가장 유식했다. 그는 고개를 끄덕이며 말했다.

"하나의 양자 시스템이 선택을 할 때마다 우주가 둘 혹은 여러 개로 분열하는 겁니다. 가능한 선택지가 모두 이루어지는 것이죠. 그로 인해 수많은 평행우주가 생겨납니다. 양자가 다양한 모습으로 쌓여서 대우주로 커진 결과지요."

등록관이 말을 받아 이었다.

"우리는 이 평행우주를 '섬유'라고 부릅니다. 전체 우주가 바로 하나의 끈 다발인 것이죠. 당신들은 모두 근접한 섬유에서 왔습니다. 그래서 당신들의 세계가 모두 비슷한 것이고요."

"최소한 서로의 언어를 알아들을 수는 있네요."

내 말이 끝나자마자 와와니가 나의 말을 부정했다.

* 우리가 살고 있는 우주 외에도 다른 우주가 무수히 많이 존재한다는 가설을 뜻한다.

"정말 이해상요! 당신들 도대체 무슨 말을 하는 거예요?"

와와니는 제일 무식했다. 그렇지만 제일 귀여웠다. 나는 와와니의 섬유에서는 '이상해요'를 저런 순서로 말한다고 믿었다.

와와니는 나를 향해 환하게 웃어 주었다.

"당신은 검투사잖아요."

"그럼 섬유가 통한 건가요?"

등록관에게 묻자 그는 고개를 끄덕였다.

"초광속으로 비행할 때 생기는 부차적인 효과죠. 웜홀은 아주 작아서 금세 사라지지만 또 새로 생겨나거든요. 특히 당신들 섬유가 초광속 우주비행 시대로 접어들면 웜홀은 더 많아져요. 그럴 때는 잘못 들어오는 사람들이 더 많아집니다."

"그럼 우리는 어떡하죠?"

"우리 섬유에서 계속 머무를 수는 없습니다. 등록한 후에 원래 섬유로 보내 드릴 수밖에 없어요."

와와니가 등록관에게 말했다.

"저는 검투사 님과 함께 제 섬유로 돌아가고 싶어요."

"이 사람도 원한다면 당연히 가능하죠. 이 섬유에 남아 있지만 않겠다면 괜찮아요."

등록관은 노란 지구를 가리켰다.

"저는 제 섬유로 돌아가고 싶어요."

"당신 쪽 지구는 무슨 색깔이에요?"

와와니가 내게 물었다.

"파란색이요. 눈처럼 하얀 구름이 수놓아져 있지요."

"정말 보기 흉할 것 같아요! 저와 함께 분홍색 지구로 가요!"

와와니가 나를 흔들면서 애교를 부렸지만 나는 냉랭하게 이야기했다.

"전 보기 좋은데요. 저의 섬유로 돌아갈 겁니다."

우리는 재빨리 등록을 마쳤고 와와니가 등록관에게 말했다.

"기념품 같은 거 주실 수 있나요?"

"섬유 공 가져가세요. 모두들 하나씩 가져가시면 됩니다."

등록관은 저쪽 유리 바닥 위에 흩어져 있는 동그란 물체를 가리키며 말했다.

"헤어지기 전에 공에 있는 선을 서로 이어요. 그럼 각자 섬유로 돌아가고 나서도 관련된 섬유의 모습을 볼 수 있습니다."

와와니는 기뻐했다.

"저와 검투사 님의 공을 연결하면 돌아가고 나서도 검투사 님 섬유를 볼 수 있는 거예요?"

"그것뿐만이 아니에요. 관련된 섬유를 볼 수 있다고 말했잖습니까. 하나가 아니에요."

나는 등록관의 말이 잘 이해되지 않았지만 공 하나를 챙겨 들고 선을 와와니의 공과 연결했다. 연결이 완료됐다는 알림음이 울렸다.

F-18로 돌아가 조종석에 간신히 공을 내려놓았다. 잠시 후 섬유 환승역과 노란 지구는 순식간에 사라져 버렸다. 나는 다시 대서양 상공으로 돌아왔고 눈에 익은 푸른 하늘과 바다가 보였다. 루스벨트호에 착륙했을 때 관제탑 사람들은 내가 늦지도, 무전 연락이 끊기지도 않았다고 했다.

하지만 그 공만은 내가 다른 섬유에 갔었다는 것을 증명하고 있었다. 나는 전투기에서 몰래 공을 빼낼 방법을 찾아냈다. 그날 저녁, 항공모함이 보스턴에 정박하자 나는 그 공을 장교 숙소로 가져갔다. 커다란 주머니에서 공을 꺼내 보니 과연 영상이 또렷하게 나타났다. 분홍 하늘과 파란 구름이 보였다. 와와니가 반짝반짝 빛나는 크리스털 산기슭에서 산책을 하고 있었다. 내가 공을 움직이자 공 반대쪽에 다른 영상이 나타났다. 역시 분홍 하늘과 파란 구름이었다. 그런데 화면에는 와와니 말고도 다른 한 사람이 더 있었다. 미국 공군의 항공 점퍼를 입은 그 사람은 바로 나였다.

아주 간단한 원리였다. 내가 와와니와 함께 가지 않겠다고 결정한 순간, 우주는 둘로 분열됐다. 그리고 그 다른 가능성의 섬

유를 내가 본 것이다.

섬유 공은 내 일생을 따라가며 보여 주었다. 나와 와와니는 분홍 지구에서 알콩달콩 사이좋게 서로를 사랑했다. 크리스털 산에서 검은 머리가 파뿌리 되도록 살면서 아기를 주렁주렁 낳았다.

와와니가 혼자 돌아간 그 섬유에서는 그녀 역시 나를 잊지 못한 모습이었다. 우리가 섬유에 잘못 들어간 지 30주년이 되는 날, 나는 공 안에서 와와니와 한 노인이 손을 붙잡고 사이좋게 해변을 거니는 것을 보았다. 첫 번째 달, 두 번째 달 그리고 세 번째 달이 그들의 여섯 그림자를 모래사장에 드리웠다. 그 순간, 와와니가 공 안에서 나를 향해 고개를 돌렸다. 그녀의 눈동자와 얼굴은 이제 더 이상 파란 구름과 분홍 하늘 같지 않았다. 그러나 웃는 모습만큼은 똑같이 매력적이었다. 와와니의 목소리가 생생하게 들려왔다.

"당신은 검투사잖아요!"

꿈의 바다

우주에서 온 저온 예술가

눈꽃 얼음 축제가 저온 예술가를 불러들였다. 황당한 생각일 수도 있지만 바다가 말라붙은 이후로 옌둥은 줄곧 그렇게 생각해 왔다. 세월이 아무리 오래 흘러도 그때의 모습만큼은 잊히지 않고 눈에 선했다.

그때 옌둥은 자신이 막 완성한 얼음 조각 앞에 서 있었다. 그 주위로 영롱하게 빛나는 얼음 조각들이 들어차 있었고, 멀리 설원 위에는 얼음으로 지어진 커다란 건축물이 우뚝 서 있었다. 투명한 건물과 얼음 성으로 겨울 볕이 환하게 스미었다.

얼음 조각은 수명이 너무나 짧은 예술품이다. 얼마 후면 이 반짝거리는 세계 역시 봄바람이 불면 깨끗한 물로 변해 버릴 것이다. 그 과정은 왠지 모를 우울함과 말로 형언할 수 없는 기분이 들게 했다. 그게 옌둥이 얼음 조각의 세계에 푹 빠져든 진짜 이유일지도 몰랐다.

옌둥은 자신의 작품에서 눈을 떼며 심사 위원들이 수상자를 발표하기 전까지 다시 작품을 보지 않겠다고 다짐했다. 그는 길게 한숨을 내쉬고 고개를 들어 하늘을 바라보았다. 그때 처음으로 저온 예술가를 보았다.

처음에는 하얀 구름을 꼬리처럼 늘어트린 비행기라고 생각했다. 하지만 그 비행 물체의 속도는 보통의 비행기보다 훨씬 더 빨랐다. 공중에서 크게 한 바퀴를 돌자 하얀 꼬리가 거대한 분필처럼 파란 하늘에 갈고리 모양을 남겼다. 비행 물체는 갈고리의 끝부분에서 갑자기 멈추었다. 바로 옌둥의 머리 위 상공이었다. 비행운은 뒤에서부터 앞으로 점점 옅어졌다. 마치 비행 물체가 구름을 다시 빨아들이는 것만 같았다.

옌둥은 구름이 마지막으로 사라진 곳을 자세히 관찰했다. 자꾸만 무엇인가 깜빡였다. 어떤 물체가 햇빛을 반사시킨 것이 틀림없었다. 이어서 그 물체를 자세히 보니 회백색의 작은 공 모양이었다. 하지만 멀리 있어서 작게 보일 뿐 실제로는 그렇게 작지 않다는 것을 금세 알 수 있었다.

물체가 급속도로 커지고 있었다. 그 공 모양의 물체가 높은 곳에서 자신이 서 있는 곳을 향해 떨어지고 있다는 뜻이었다. 주위에 있던 사람들 역시 이를 알고 사방으로 흩어졌다. 옌둥도 고개를 수그리고 달리기 시작했다. 얼음 조각 사이를 굽이굽이 돌아서 도망치는데 갑자기 땅바닥에 거대한 그림자가 생겼다. 옌둥은 머리가 쭈뼛하며 순식간에 몸속의 피가 굳어 버린 것만 같았다.

그러나 예상과는 달리 공격은 없었다. 주위 사람들이 모두 발걸음을 멈추고 우두커니 위를 올려다보는 모습을 보고 옌둥도 고개를 들었다. 거대한 공은 그들 위의 약 100미터 상공에 멈추어 있었다. 가까이서 보니 완전한 공 모양은 아니었는데 고속 비행 중에 기류의 충격에 의해서 모양이 변형된 것 같았다. 비행 방향 앞쪽 절반은 매끈한 곡면이고 나머지 뒤쪽은 거칠거칠한 것이 마치 꼬리가 잘린 혜성 같은 모습이었다. 그 물체는 지름이 100미터를 넘어설 정도로 부피가 아주 컸다. 공중에 작은 산이 매달린 것 같은 형상은 땅 위의 사람들에게 대단한 압박감을 주었다.

급격하게 추락하던 공 모양이 공중에서 갑자기 멈추자, 함께 움직이던 공기가 아래쪽으로 내리꽂히며 금세 지면에 닿았다. 그리고 어마어마한 눈먼지를 일으켰다. 아프리카 원주민들은 백인이 가져온 얼음을 처음 만져 보고는 깜짝 놀라서 손을 거두며 "앗 뜨거!"라고 외쳤다고 하는데, 옌둥은 바닥에 내리꽂힌 공기를 느낀 순간 똑같은 생각을 했다. 그 공기의 온도가 놀라울 정도로 낮았기 때문이다. 곧바로 흩어졌기에 망정이지 안 그랬다면 땅 위에 있던 사람들은 모두 꽁꽁 얼어붙었을 것이다. 물론 그렇게까지 되진 않았지만 피부를 노출한 사람들은 대부분 동상에 걸리고 말았다.

갑작스러운 한기에 옌둥은 얼굴의 감각이 사라졌다. 그는 고개를 들어 공 모양 물체의 표면을 자세히 살펴보았다. 반투명하고 회백색으로 빛나는 그 물질은 그에게 더없이 익숙한 얼음이었다. 공중에 매달린 것은 바로 큰 얼음덩어리였던 것이다.

바람이 잦아들자 옌둥은 깜짝 놀라고 말았다. 공중의 거대한 얼음덩어리 주위로 큼지막한 눈꽃이 흩날리고 있었던 것이다. 눈부시게 새하얀 눈꽃은 파란 하늘을 배경으로 햇빛을 받아 반짝반짝 빛나고 있었다. 그러나 이 눈꽃은 얼음덩어리의 일정 거리 안에서만 나타났고 나풀나풀 날아서 멀어지면 즉시 사라졌다. 얼음덩어리를 중심으로 생겨난 눈꽃 무리는 마치 눈 내리는 밤을 비추는 가로등처럼 보였다.

“나는 저온 예술가다!”

낭랑한 남자 목소리가 얼음덩어리에서 울려 퍼졌다.

“나는 저온 예술가야!”

“이 커다란 얼음덩어리가 바로 당신인가요?”

옌둥이 고개를 들고 큰 소리로 물었다.

"너희는 내 모습을 볼 수 없어. 너희가 보고 있는 얼음덩어리는 내 냉동장 기술로 공기 중의 수분을 얼려서 만든 거야."

저온 예술가가 대답했다.

"저 눈송이들은 어떻게 한 거죠?"

옌둥이 또 물었다.

"그건 공기 중의 산소와 질소의 결정체야. 이산화탄소로 된 드라이아이스도 있고."

"당신의 냉동장은 정말 대단하군요!"

"당연하지. 무수히 많은 손으로 움켜쥔 것처럼 범위 안에 있는 모든 분자와 원자의 운동을 멈추게 하거든."

"이 얼음덩어리를 공중에 매달아 둘 수도 있는 건가요?"

"그건 다른 힘이야. 반인력장이지. 나는 너희가 사용하는 그 얼음 조각 도구들이 상당히 재밌어 보여. 다양하게 생긴 삽이랑 조각칼, 물뿌리개 그리고 토치램프 말이야. 정말 재밌어! 저온 예술가로서 나도 소소한 기술들을 갖고 있긴 해. 그게 바로 역장*이야. 너희 것처럼 종류가 많지는 않지만 아주 쓸 만하거든."

"당신도 얼음 조각을 하나요?"

"당연하지. 나는 저온 예술가야. 너희의 세계는 얼음과 눈으

* 힘의 작용이 일어나는 범위. 장(場)이라고도 하며 중력장, 자기장 등으로 쓰인다.

로 예술품을 만들어 내기에 아주 적합한 곳이야. 그런데 이미 이런 예술이 존재해서 깜짝 놀랐어. 우리가 동료라는 사실을 말할 수 있어서 기쁘군."

"당신은 어디에서 왔나요?"

옌둥 옆의 한 얼음 조각가가 물었다.

"나는 아주아주 멀고 너희가 이해하지 못할 세계에서 왔어. 그 세계는 너희의 세계처럼 재미있지 않아. 원래 나는 예술만 할 뿐 다른 세계와는 교류하지 않는데 우연찮게 여기서 열리는 전시회를 봤어. 이렇게 많은 동료가 있는 것을 보니까 만나고 싶다는 꿈이 생긴 거야. 저 아래에 있는 얼음 작품들 중에서 진짜 예술품이라고 할 만한 건 솔직히 별로 없지만."

"왜 그렇죠?"

누군가가 물었다.

"지나치게 사실적이고 너무 형태나 사소한 부분에만 매달리잖아. 공간을 제외하면 우주에는 아무것도 없어. 이 현실 세계는 곡률*이 같지 않은 공간의 무더기에 불과하거든. 그걸 너희가 이해한다면 이 작품들이 얼마나 가소로운지도 알게 될 거야. 그런데 음……. 이 작품은 그래도 좀 느낌이 있단 말이지."

* 선이 굽은 정도를 나타내는 수치를 말한다.

말이 떨어지자마자 얼음덩어리 주위에서 눈꽃송이가 가느다랗게 뻗어 나왔다. 보이지 않는 깔때기를 따라 흘러내리듯 뻗어 나온 눈꽃가지는 옌둥의 얼음 조각 위까지 오더니 점점 사라졌다. 옌둥은 까치발을 들고 장갑 낀 손을 눈꽃송이로 뻗었다. 손이 가까이 다가가자 손가락이 또다시 화끈거렸다. 얼른 손을 움츠렸지만 장갑 속의 손은 이미 꽁꽁 얼어 버린 후였다.

"제 작품 말인가요?"

옌둥이 다른 손으로 꽁꽁 언 손을 주무르면서 물었다.

"저는 얼음을 세워 놓고 조각하는 전통적인 방법을 쓰지 않았습니다. 얼음 몇 덩어리를 막과 같은 구조로 세우고 아래쪽에 뜨거운 수증기를 오랫동안 쏘였어요. 수증기가 막 표면에 닿아서 얼면 복잡한 구조의 결정체가 되죠. 이 결정체가 일정한 두께까지 얼면 얼음 막을 떼어 냅니다. 그러면 지금 보시는 모양이 되는 거예요."

"아주 좋아, 아주 느낌 있어. 추위의 아름다움을 잘 표현했어! 이 작품의 영감은 어디서……."

"유리창이요! 제 설명에 공감하실지 모르겠군요. 추운 겨울, 새벽에 깨어나서 졸린 눈으로 유리창을 보면 얼음결정이 가득하잖아요. 그 얼음이 새벽녘의 어슴푸레한 하늘을 비추면 마치 꿈의 산물인 것만 같이……."

"공감하지, 공감해. 나도 안다고!"

저온 예술가 주위로 눈꽃송이가 유쾌하게 나풀거렸다.

"나도 영감을 얻었어. 무언가를 만들 거야! 만들고 말 거야!"

"저쪽이 쑹화강 방향이에요. 얼음 한 덩어리를 가져오거나 아니면……."

"뭐? 너는 이 저온 예술가님께서 너희처럼 그렇게 박테리아 같이 볼품없는 예술이나 할 거라고 생각하는 거야? 여기엔 필요한 재료가 없어!"

땅 위에 있던 얼음 조각 예술가들은 어리둥절한 모습으로 우주에서 온 저온 예술가를 바라보았다. 옌둥도 얼이 빠진 듯 말했다.

"그러면 당신은……."

"나는 바다로 갈 거야!"

액체 분지

거대한 비행편대가 5,000미터 상공에서 해안선 방향으로 비행 중이었다. 유사 이래 가장 다양한 비행기가 모인 이 편대에는 커다란 점보제트기부터 모기 같은 경비행기까지 온갖 비행기가 다 모였다. 지구 전역의 방송국에서 취재를 위해 보낸 비행기, 각 연구 기관과 정부에서 관찰과 감시를 위해 파견한 비행기들이었다.

시끌벅적한 비행기 무리는 양치기를 뒤따르는 양 떼처럼 먼저 간 짧고 굵은 흰색 흔적을 뒤쫓았다. 그 흔적은 저온 예술가가 비행하면서 남긴 것이었다. 저온 예술가는 빨리 따라오라고 연신 재촉했다. 따라오는 비행기를 기다리려면 저온 예술가는 기는 것보다 느린 속도를 참아 내는 수밖에 없었다. 제멋대로 시공을 넘나드는 그에게는 광속도 이미 기는 것이나 다름없었다. 저온 예술가는 영감이 다 사라지고 말 거라고 끊임없이 불평을 해 댔다.

뒤쪽 비행기의 기자들은 무선통신으로 쉴 새 없이 질문을 퍼부었다. 그러나 저온 예술가는 그저 귀찮아할 뿐이었다. 그는 중앙 방송국에서 빌린 Y-12 수송기에 탄 옌둥과의 대화에만 관심이 있었다. 결국 기자들은 모두 입을 다물고 이 예술가 일행의 대화에 귀를 기울였다.

"당신 고향은 은하계 안에 있나요?"

Y-12 수송기는 저온 예술가와 가장 가까웠기 때문에 얼음덩어리 앞머리에 나타나는 보일락 말락 하는 흰 비행 흔적을 관찰할 수가 있었다. 이 흔적은 얼음덩어리 주위의 낮은 온도로 인해 대기 중의 산소, 질소, 이산화탄소가 응결되어 나타난 현상이었다. 수송기가 어쩌다가 이 희뿌연 안개 속으로 들어가면 창문에 서리가 두텁게 끼었다.

"내 고향은 어느 항성계에도 속하지 않아. 항성계 사이 광활한 어둠의 허공 속에 있지."

"당신의 별은 엄청 춥겠네요."

"우리에겐 별이 없어. 저온 문명은 암흑물질* 무리 속에서 태

* 실제로 관측되지는 않았지만 중력으로 그 존재를 인식할 수 있는 물질. 우주를 구성하는 물질 중 약 25퍼센트를 차지하는 것으로 알려져 있다.

어났거든. 그 세계는 아주 추워. 생명은 거의 절대영도*에 가까운 환경 속에서 아주 미세한 열량만을 얻고 간신히 살아가지. 아주 먼 항성계에서 뻗어 나온 걸 겨우 빨아들이는 거야. 저온 문명이 어디론가 갈 수 있게 되었을 때 우리는 가깝고 따뜻한 세계로 오는 걸 잠시도 망설일 수가 없었어. 그런데 이 세계에서는 저온 상태를 유지해야만 살 수가 있기 때문에 따뜻한 세계의 저온 예술가가 되었지."

"당신이 말하는 저온 예술이라는 건 눈과 얼음으로 만드는 건가요?"

"아, 아니, 아니. 그 세계의 평균 온도보다 훨씬 낮은 온도를 이용해서 어떤 작용을 일으키고 예술적인 효과를 얻어 내면 그건 모두 저온 예술에 속해. 눈과 얼음으로 모양을 내는 건 너희 세계에 적합한 저온 예술일 뿐이야. 눈과 얼음의 온도는 너희 세계에서는 저온에 속하지만 암흑물질 세계에서는 고온에 속해. 반면에 항성계에서는 용해된 마그마도 저온 재료에 속하지."

"우리 사이에도 예술의 아름다움에 대해 공통된 의견이 있을 것 같아요."

"이상할 것도 없지. 따뜻한 것은 우주가 탄생하고 잠깐 경련

* 열역학에서 말하는 최저 온도. 섭씨온도로는 -273.15도이다.

을 일으키면서 생긴 순간적인 효과일 뿐이니까. 마치 일몰 후의 땅거미처럼 눈 깜짝할 사이일 뿐이야. 에너지가 사라지고 나면 추위만이 영원해. 추위의 아름다움이야말로 영원히 변하지 않는 아름다움이지."

"그렇다면 우주는 결국 열 과정이 정지한다는 건가요?"

옌둥은 헤드폰으로 누군가가 질문하는 소리를 들었다. 나중에 알고 보니 뒤에 오던 비행기에 탄 한 이론물리학자였다.

"딴소리하지 마. 우린 예술 이야기 중이야."

저온 예술가가 냉담하게 말했다.

"바다다!"

옌둥은 저도 모르게 수송기 창문 너머를 바라보았다. 구불구불한 해안선이 아래쪽에서 천천히 나타났다.

"더 앞으로, 제일 깊은 바다로 가야 해. 얼음을 얻기가 편리하거든."

"그런데 어디에 얼음이 있다는 겁니까?"

옌둥은 아래쪽에 드넓게 펼쳐진 푸른 해수면을 보며 이해할 수 없다는 듯 물었다.

"저온 예술가가 가는 곳이라면 어디든 얼음이 있지."

저온 예술가는 한 시간을 더 나아갔다. 수송기에서 내려다보니 아래는 망망대해였다. 그 순간 수송기가 갑자기 고도를 높였다. 엔둥은 갑작스러운 가속으로 중력이 느껴지자 눈앞이 캄캄해졌다.

"이런, 부딪힐 뻔했잖아!"

조종사가 고함을 질렀다. 저온 예술가가 갑자기 제자리에 멈춘 것이다. 뒤따르던 비행기들도 혼비백산하여 방향을 바꾸느라 정신이 없었다.

"이런 망할. 저 녀석한테는 관성의법칙도 소용이 없군. 저 녀석, 속도를 순식간에 조절하네요. 저 정도 감속이면 얼음덩어리는 박살이 나야 하는데!"

조종사가 옌둥에게 이렇게 이야기하는 동시에 기수를 돌렸다. 그리고 다른 비행기들과 함께 공중에 걸린 얼음덩어리를 둘러싸고 빙빙 선회했다. 정지한 얼음덩어리가 또다시 공기 중에다 산소, 질소, 눈꽃송이를 만들어 냈다. 고공에서 불어 대는 강풍 때문에 눈꽃이 전부 한쪽 방향으로 쏠리자, 마치 바람 따라 나부끼는 허연 머리칼처럼 보였다.

"창작을 시작하겠다!"

저온 예술가는 옌둥의 대답을 기다리지도 않고 갑자기 수직으로 하강했다. 마치 저온 예술가를 붙잡고 있던 보이지 않는 손이 그를 허공에다가 놓아 버린 것 같았다. 비행기에 타고 있던 사람들은 저온 예술가가 자유낙하 하면서 갈수록 속력이 빨라지는 것을 지켜보았다. 그가 푸른 수면으로 사라지자 공기 중에는 안개의 흔적만이 희미하게 남았다. 곧 수면 위로 하얀 물보라가 일었다. 그리고 물보라가 사라지며 물결이 퍼져 나갔다.

"외계인이 바다에 빠져 자살했군요."

조종사가 옌둥에게 말했다.

"함부로 말하지 마시오!"

옌둥이 둥베이 지역 말투로 조종사를 꾸짖으며 눈을 흘겼다.

"고도를 낮춰요. 얼음덩어리가 곧 떠오를 겁니다!"

그러나 얼음덩어리는 떠오르지 않았고 해수면 위로 하얀 점이 나타났다. 이 하얀 점은 재빠르게 커지더니 둥그렇게 넓어졌다. 수송기가 차츰 아래로 내려가자 하얀 점을 자세히 볼 수 있었다. 그 하얀 부분은 해수면을 덮은 안개층이었다. 안개는 급격하게 퍼졌고 수송기는 계속해서 아래로 내려갔다. 곧 눈에 보이는 모든 바다에서 하얀 안개가 뿜어져 나왔다.

그때 옌둥의 귀에 어떤 소리가 들려왔다. 천둥소리 같기도 하고 대지가 갈라지며 산맥이 끊어지는 소리 같기도 했다. 해수면에서 들려오는 그 소리는 수송기 엔진이 돌아가는 굉음을 덮어 버렸다. 수송기가 해수면 가까이로 날자 옌둥은 흰 안개 아래의 바다를 자세히 관찰할 수 있었다. 일단 해수면에 반사되어 정갈하고 부드럽게 이어지는 햇빛이 눈에 들어왔다. 방금처럼 눈부시게 반짝거리던 모습과는 전혀 딴판이었다. 바다의 색이 더욱 짙어지고 해수면의 파도는 매끈하게 변해 있었다. 그러나 그를 충격으로 몰아넣은 것은 바로 파도가 딱딱하게 굳어 움직이지 않는다는 사실이었다.

"세상에, 바다가 얼다니!"

"미친 거 아니죠?"

조종사가 뒤로 돌아 그를 흘겨보았다.

"당신이 직접 자세히 보라고……. 아이고, 어째서 아직도 하강하는 겁니까? 얼음판 위에 착륙이라도 하려고요?"

조종사는 조종간을 힘껏 당겼다. 다시 눈앞이 캄캄해진 옌둥에게 그의 목소리가 들렸다.

"아, 아니, 빌어먹을, 진짜 말도 안 돼……."

다시 정신을 차리고 보니 조종사는 꿈을 꾸는 표정이었다.

"내가 하강한 게 아니라, 수면이, 아니, 저 얼음판이 올라온 거라고요!"

이때 저온 예술가의 목소리가 들려왔다.

"너희 비행기 얼른 치워. 올라가는 길 막지 말고. 흥, 내 동료가 없었으면 너희가 부딪히는 것 따위는 신경도 안 썼을 거야. 나는 창작 작업 중에 영감을 방해하는 게 제일 싫거든. 서쪽으로 날아가 서쪽으로. 거기가 가장자리하고 비교적 가까우니까!"

"가장자리요? 무슨 가장자리요?"

옌둥이 궁금한 듯 물었다.

"내가 캐낸 얼음 말이야!"

깜짝 놀라 날아오르는 새 떼처럼 비행기들이 일제히 고도를 높이며 저온 예술가가 이끄는 방향으로 날기 시작했다. 그들 아래에는 온도차로 생겨난 안개가 걷히고 짙푸른 얼음 평원이 끝도 없이 나타났다. 비행기가 위쪽으로 날아오르고 있지만 얼음 평원의 상승 속도가 더 빠른 바람에 얼음판과의 거리는 점점 더 좁혀지고 있었다.

"맙소사, 지구가 우리를 뒤쫓고 있다니!"

조종사가 깜짝 놀라 소리쳤다. 비행기는 점점 더 얼음판과 가까워졌다. 단단하게 얼어붙은 짙푸른 파도가 비행기 날개 위로 넘실거리자 조종사는 고함을 질렀다.

"얼음판 위에 착륙하는 수밖에 없어! 세상에, 위로 올라가면서 동시에 아래로 내려가다니. 정말 말도 안 돼!"

바로 그때, Y-12 수송기가 얼음덩어리의 끄트머리에 다다랐다. 쭉 뻗은 모서리가 수송기의 꽁무니를 바람처럼 스치며 뒤로 밀려나자, 아래쪽으로는 반짝거리는 물결이 일렁이는 바다가 다시 나타났다. 항공모함 위의 전투기가 이륙하면서 갑판 위를 떠나는 순간 보이는 장면과 아주 흡사했다. 뒤에 있는 항공모함이 수천 미터 상공에 있다는 것만 빼고는 말이다.

엔둥은 재빨리 뒤를 돌아보았다. 거대하고 시퍼런 얼음 절벽이 멀어지는 것이 보였다. 그 절벽의 표면은 아주 평평했고, 양쪽 모서리는 어디가 끝인지 보이지도 않았다. 절벽 아래쪽은 해수면까지 닿아 있어서 위쪽으로 생긴 절벽 면을 따라 파도가 하얗게 부서지고 있었다. 그러나 이 하얀 절벽 면은 금세 매끈하게 뻗은 모서리로 변했다. 그리고 얼음의 아래쪽이 해수면과 분리됐다.

커다란 얼음덩어리는 더 빠른 속도로 상승하기 시작했다. Y-12 수송기는 아래쪽으로 하강해 해수면과 얼음 사이에 위치했다. 그때 엔둥은 또다시 광활한 얼음 평원을 보았다. 방금과는 달리 이번 얼음 평원은 머리 위에 있었고 어두워진 하늘은 상당한 위압감을 주었다.

얼음덩어리가 계속해서 상승하자 엔둥은 저온 예술가가 한 말을 눈으로 확인할 수 있었다. 그것은 확실히 커다란 얼음덩어리였다. 길쭉하고 네모난 모양의 얼음은 이제 완전하게 모습을 드러냈다. 이 검푸른 직육면체는 하늘을 3분의 2나 차지했다. 매끈한 표면은 마치 번개가 치는 것처럼 계속해서 햇빛을 반사시켰다. 그것이 만들어 낸 거대한 배경 앞으로 비행기 몇 대가 천천히 날았다. 비행기는 하늘을 찌를 듯 높은 고층 건물 주위를 선회하는 작은 새처럼 아주 자세히 보아야만 겨우 보였다. 레이더로 관측한 수치를 확인해 보니 이 얼음덩어리는 길이가 60킬로미터, 폭이 20킬로미터, 높이가 5킬로미터로 편평한 직육면체 모양이었다.

커다란 얼음덩어리는 줄곧 위로 올라갔다. 부피가 점점 작게 보이자 사람들은 그제야 어느 정도 얼음덩어리의 크기에 익숙해졌다. 하지만 해수면 위에 드리웠던 그림자도 함께 작아지자 역사상 가장 경악할 만한 광경이 펼쳐졌다.

옌둥은 그들이 좁고 긴 분지 위를 날고 있음을 목격했다. 그 분지는 얼음덩어리가 해수면을 떠난 후 남은 공간이었다. 분지는 5,000미터 깊이의 해수면으로 사방이 둘러싸여 있었다. 물이 이런 모양을 유지하는 것을 인류는 결코 본 적이 없었다. 수천 미터 높이의 물로 이루어진 수직 절벽이라니! 이 액체 절벽은 아래쪽에서는 100미터나 되는 거센 파도가 치솟았고, 위쪽은 계속해서 무너져 내리고 있었다. 그렇게 절벽은 점점 앞으로 나아갔고 표면이 불안정하기는 했지만 여전히 해저와 수직을 유지했다. 바닷물 절벽의 양쪽이 점점 앞으로 밀고 나오자 분지는 점점 작아졌다.

옌둥이 가장 놀란 것은 이 모든 과정이 생각보다 너무 느리다는 것이다! 아마 규모의 차이 때문일 것이다. 그는 아시아에서 가장 큰 폭포인 황궈수 폭포를 본 적이 있었다. 그때도 물이 떨어지는 속도가 아주 느리다고 느꼈다. 그런데 지금 눈앞에 있는 바닷물 절벽은 그 폭포보다 두 자릿수는 클 테니 이런 기이한 광경을 감상할 수 있을 만큼 시간이 넉넉한 것이다.

얼음덩어리가 드리운 그림자가 완전히 사라졌다. 옌둥은 고개를 들었다. 얼음덩어리는 보름달 크기만큼 작아져서 더 이상 눈에 띄지 않을 정도가 됐다.

바닷물 절벽 양쪽이 더 가까워지자 분지는 이제 골짜기처럼 좁아졌다. 이어서 수십 킬로미터 길이, 5,000미터 높이의 바닷물 절벽 양쪽이 정면으로 맞닿았다. 음울한 굉음이 바다와 하늘 사이에 오랫동안 메아리치더니 얼음덩어리가 남긴 공간은 완전히 자취를 감추었다.

"설마 꿈은 아니겠지?"

옌둥이 혼잣말을 했다.

"꿈이라면 좋겠군요. 보세요!"

조종사가 아래쪽을 가리켰다. 양쪽 절벽이 만난 곳의 해수면은 잠잠해지지 않고, 절벽이 있던 모양으로 물이 솟아오르며 기다란 파도 띠를 형성했다. 마치 사라져 버린 바닷물 절벽 양면의 화신이라도 되는 것 같았다. 파도 띠는 각자 반대 방향을 향해 멀어지기 시작했다. 높은 하늘 위에서 보기에는 딱히 놀라울 것도 없었지만 자세히 살펴보면 높이가 200미터는 족히 된다는 걸 알 수 있었다. 가까이서 이 광경을 보았다면 분명 산맥 두 줄기가 이동하는 것처럼 보였을 것이다.

"해일인가요?"

옌둥이 물었다.

"그렇죠. 아마 역사상 가장 큰 해일일 겁니다. 해안가가 초토화되겠죠."

옌둥은 다시 고개를 들었다. 파란 하늘에서 얼음덩어리는 이미 모습을 찾을 수 없었다. 레이더로 관측하자 그것은 이미 지구의 위성이 되어 있었다.

저온 예술가는 하루 만에 태평양에서 똑같은 방법으로 똑같은 크기의 얼음덩어리를 100개도 넘게 가져갔다. 그리고 그것들을 지구를 도는 궤도에 올려놓았다.

그날, 지구 반대편에서는 두세 시간마다 번쩍이는 빛 무리가 밤하늘을 가로질러 날아오르는 것을 관찰할 수 있었다. 빛 무리는 밤하늘에 수놓아진 보통 별과는 달랐다. 자세히 살펴보면 하나하나가 다 직육면체 모양이었다. 그것들은 제각기 다른 방향과 속도로 자전했다. 그래서 반사된 빛이 각기 다른 빈도로 번뜩였다. 사람들은 공중에 나타난 빛이 어떻게 생겨났는지 한참 동안 생각했지만 알 수가 없었다. 결국 한 기자가 적절한 비유를 했다.

"저건 우주의 거인이 쏟아 놓은 크리스털 도미노입니다."

지구 예술가와 우주 예술가의 대화

"우리 얘기 좀 해요."

옌둥이 말하자 저온 예술가가 답했다.

"얘기하려고 널 오라 한 거야. 하지만 예술에 대해서만이야."

옌둥은 5,000미터 상공에 떠 있는 커다란 얼음덩어리 위에 있었다. 저온 예술가가 그를 이곳으로 초청한 것이었다. 옌둥을 데려온 헬리콥터는 바로 옆 얼음판 위에 세워져 있었다. 언제든 날아오를 수 있도록 프로펠러가 계속 돌아가는 중이었다. 사방은 끝도 없는 얼음 평원이었다. 얼음판은 눈부시게 쏟아지는 햇빛을 그대로 반사했다. 발아래 역시 그 끝이 어딘지 보이지 않는 시퍼런 얼음이었다. 구름 한 점 없이 맑은 하늘이 이어졌지만 바람이 아주 거셌다.

이곳은 저온 예술가가 바다에서 가져온 5,000개의 얼음덩어리 중 하나였다. 5일 동안 그는 하루 평균 1,000개나 되는 얼음을 뽑아내, 지구 주위를 도는 궤도 위에 가져다 놓았다. 태평양과 대서양에서 거대한 얼음을 얼려서 곧장 하늘로 올린 것이다. 옌둥은 바로 그 밤하늘을 반짝이게 한 우주 도미노 중의 하나 위에 있었다. 바다 근처 도시들은 모두 해일의 습격을 받았다. 그러나 시간이 지나면서 피해는 갈수록 줄어들었다. 이유는 간단했다. 해수면이 낮아진 것이다.

지구의 바다는 이제 지구를 둘러싸고 뱅뱅 도는 얼음덩어리로 변해 버렸다.

옌둥은 단단한 얼음판 위를 발로 구르며 말했다.

"이렇게 큰 얼음덩어리를 어떻게 한순간에 얼려 내죠? 어떻게 이렇게 부서지지 않고 완전하게 만들어 내나요? 또 무슨 힘으로 공중으로 올리는 거죠? 이건 우리의 상식과 상상력을 완전히 뛰어넘습니다."

"그게 뭐 어때서. 우리는 항성을 없애 버리기도 하는데! 예술 얘기만 한다고 하지 않았나? 내가 이렇게 예술품을 만들어 내는 것도 예술의 관점에 보면 네가 칼로 얼음 조각을 하는 것과 별 차이가 없다고."

"궤도 위의 얼음덩어리는 우주의 강렬한 햇빛에 노출되는데 왜 녹지 않는 거죠?"

"내가 얼음 표면에 아주 얇고 투명한 필터를 덮어 놨거든. 그 필터는 열을 내지 않는 빛만 통과시키고 열을 내는 빛은 모두 반사시켜. 그래서 얼음이 녹지 않는 거야. 이건 이런 질문에 대한 마지막 답이다. 이런 지루한 이야기를 하려고 작업까지 멈추고 온 거 아니야. 이제 우리는 예술 이야기만 할 거야. 그러지 않을 거면 가 버려. 더 이상 동료나 친구 따위가 아니니까."

"그럼 바다에서 얼음을 얼마나 만들어 낼 거죠? 이건 예술 창작하고 관련 있는 내용이잖아요!"

"당연히 되는 만큼 만들어 내야지. 내 구상에 대해서 얘기해 줬잖아. 내 작품 구상을 완벽하게 표현해 내려면 지구상의 바다로도 부족해. 사실 목성의 위성에서도 얼음을 만들어 낼까 생각했는데 그건 너무 번거로워. 그냥 이 정도로 참지, 뭐."

옌둥은 바람에 헝클어진 머리를 정리했다. 그리고 추위에 떨면서 물었다.

"예술이 당신에게 중요한가요?"

"전부야."

"하지만……. 삶에는 다른 것들도 있잖아요. 예를 들어 생존을 위해서는 일도 해야 해요. 저는 창춘 광학 연구소의 엔지니어이고 여가 시간에만 예술 활동을 해요."

저온 예술가의 목소리가 얼음 평원 깊은 곳에서 울려왔다. 얼음판의 진동이 엔둥의 발바닥을 간질였다.

"와, 생존이라. 그건 문명이 젖먹이 시절일 때 잠깐 차는 기저귀 같은 것일 뿐이야. 그 이후에는 숨 쉬는 것처럼 간단해지지. 생존을 유지하기 위해 노력해야 하는 것도 잊게 돼."

"그럼 사회생활과 정치는요?"

"개인의 존재 역시 젖먹이 문명일 때 생기는 귀찮은 일이지. 나중에는 개인도 전체에 흡수될 거고 사회나 정치도 없어질 거야."

"그럼 과학은, 과학은 있겠죠? 문명이 우주를 몰라도 될까요?"

"그것도 젖먹이 문명이 겪는 과정일 뿐이야. 일정 정도까지 탐구하다 보면 모든 게 확실해질 거야. 우주가 얼마나 간단하고 평범한 존재인지 깨닫고 나면 과학도 필요 없어질걸."

"예술만 남는 건가요?"

"예술만이 남지. 예술은 문명이 존재하는 유일한 이유니까."

"그렇지만 우리에게는 아직 다른 이유들이 있어요. 생존해야 한다고요. 아래에 있는 저 행성에는 수십억의 사람과 훨씬 더 많은 생명들이 살고 있어요. 그런데 당신이 우리의 바다를 말라붙게 했어요. 저 생명의 행성을 죽음의 사막으로 바꾸고 우릴 말려 죽이고 있다고요!"

얼음 평원 깊은 곳에서 한바탕 웃음소리가 들려왔다. 엔둥의 발바닥이 또 간질거렸다.

“동료여, 널 좀 봐. 나는 지금 영감이 용솟음치는데도 모든 작업을 멈추고 너와 예술에 대해 이야기하고 있어. 그런데 넌 자꾸 이런 시시콜콜한 이야기만 꺼내잖아. 정말 실망이야. 부끄러운 줄 알아야지! 그만 가. 나 작업해야 해.”

“이 못된 놈아!”

엔둥은 참을성이 한계에 이르러 끝내 욕을 하고 말았다.

“그건 욕인가?”

저온 예술가가 침착하게 물었다.

“동료에게 어떻게 그럴 수 있지? 흐흐, 알겠다. 날 질투하는구나. 나 같은 능력이 없으니까. 그래서 박테리아 같은 예술만 하는 거고.”

“방금 네 입으로 이야기했잖아. 너와 내 예술은 도구가 다를 뿐 본질적으로 차이가 없다고.”

“그런데 지금은 생각이 바뀌었어. 진정한 예술가를 만났다고 생각했는데 별거 없는 불쌍한 인간이었네. 바다가 말랐네, 멸종할 거네, 같이 예술하고 상관없는 지루한 이야기만 하루 온종일 해 대고 말이야. 너무 지질해. 정말 별 볼 일 없다고. 잘 들어, 예술가는 그래서는 안 돼.”

“너는 나쁜 놈이야!”

"그러든지 말든지. 난 작업해야 해. 어서 가 봐."

그 순간 옌둥은 엄청난 무게를 느끼며 매끄러운 얼음판 위에 엉덩방아를 찧었다. 머리 위에서는 돌풍이 내리꽂혔다. 그는 얼음덩어리가 또다시 위로 올라가고 있다는 걸 깨달았다. 데굴데굴 굴러 허겁지겁 헬리콥터로 뛰어들자 헬리콥터는 간신히 이륙했다. 그리고 가장 가까운 가장자리를 통해 얼음덩어리에서 벗어났다. 자칫하면 얼음덩어리가 올라가면서 생긴 회오리바람에 휩쓸려 추락할 뻔했다.

인류와 저온 예술가의 교류는 그렇게 철저히 실패로 끝났다.

꿈의 바다

엔둥은 하얀 세계의 가운데 서 있었다. 발아래 땅과 주위 산맥은 전부 은백색으로 뒤덮여 있었다. 높고 험준한 산맥은 마치 눈 덮인 에베레스트 산중에 있는 듯한 착각을 불러일으켰다. 사실 이곳은 지구에서 가장 낮은 곳, 마리아나해구였다.

예전이라면 태평양에서도 가장 낮았던 곳이다. 이곳을 덮은 하얀 물질은 눈이 아니라 소금이 주성분인 바닷물 속의 미네랄이다. 바닷물이 얼고 난 후, 미네랄이 결정으로 굳어 바닥에 쌓인 것이다. 이 하얀 소금층이 가장 두껍게 쌓인 곳은 높이가 무려 100미터에 이르렀다.

지난 200일 동안 지구상의 바다는 저온 예술가가 전부 다 가져갔다. 그는 남극과 그린란드의 빙하마저 깡그리 가져갔다. 엔둥은 저온 예술가의 초청으로 그의 예술 작품이 완성되는 마지막 의식을 보러 왔다.

앞쪽의 골짜기에서 푸른 수면이 보였다. 맑고도 깊은 바닷물은 새하얀 골짜기 사이에서 더욱더 돋보였다. 지구상에서 마지막으로 남은 바다였다. 톈츠 호수만 한 바다 위에는 끝도 없이 출렁이던 파도가 온데간데없이 사라지고 잔잔한 물결만 일고 있었다. 깊은 산중에 숨어 있는 고요한 호수 같았다. 강줄기 세 가닥이 이 마지막 바다로 흘러들고 있었다. 바다가 깡그리 마르는 동안 겨우 살아남은, 지구가 생긴 이래로 가장 긴 강이었다. 그나마도 이곳에 닿았을 때는 가느다란 시냇물로 변해 있었다.

옌둥은 바닷가로 다가갔다. 백사장에 서서 잔잔하게 출렁이는 바닷물 속으로 손을 뻗었다. 물속의 염분이 이미 포화 상태였기에 해수면의 물결은 묵직했다. 옌둥의 젖은 손이 바람에 마르자 하얀 소금 결정이 한 꺼풀 나타났다.

귀에 익숙한 날카로운 소리가 공중에서 들려왔다. 저온 예술가가 하강할 때 공기와 마찰하면서 나는 소리였다. 옌둥은 얼른 그를 찾았다. 여전히 얼음덩어리의 모습이었다. 그러나 우주에서 곧바로 이쪽으로 돌아와 대기와의 마찰이 작았던 탓인지 부피가 처음 나타났을 때보다 많이 줄어들어 있었다. 저온 예술가가 지구로 들어왔을 때, 사람들은 무슨 수를 써서든 그가 얼음덩어리에서 분리되는 모습을 보려고 했다. 하지만 아무도 이를 볼 수 없었다. 저온 예술가가 대기층으로 들어와 계속 커지는 얼음덩어리가 되었을 때야 비로소 그의 존재와 위치를 확인할 수 있었다.

저온 예술가는 엔둥에게 인사도 하지 않았다. 저온 예술가가 마지막 바다의 한가운데를 향해 수직으로 내리꽂히자 커다란 물기둥이 솟아올랐다. 그러고는 익숙한 장면이 또다시 펼쳐졌다. 저온 예술가가 낙하한 지점에서부터 하얀 안개가 뿜어져 나와 빠르게 넓어지면서 순식간에 해수면 전체를 덮었다. 이어서 해수면이 급속도로 동결되면서 갈라지고 부서지는 굉음이 들려왔다. 안개가 걷히자 단단하게 굳은 해수면이 나타났다. 지난번과 달리 이번에는 바다 전체가 한꺼번에 꽁꽁 얼어 바닷물을 한 방울도 남기지 않았다. 굳어 버린 해수면도 파도처럼 거칠지 않고 거울처럼 매끈매끈하기만 했다. 얼음이 이렇게 어는 내내 엔둥은 얼굴로 덮쳐 오는 한기를 느꼈다.

이어서 꽁꽁 언 마지막 바다가 통째로 땅바닥에서 떨어져 나와 몇 센티미터 높이로 조심스럽게 떠올랐다. 그때 엔둥은 얼어 버린 바다의 모서리와 하얀 소금밭 사이에 길고 검은 틈이 나타난 것을 발견했다. 공기가 틈으로 세차게 빨려 들어가는 바람에 땅바닥 위로 돌풍이 일자 바람에 날린 소금 가루들이 엔둥의 발에 쌓였다. 마지막 바다는 눈 깜짝할 사이에 속력을 높여 공중으로 떠올랐다. 거대한 물체가 재빨리 상승할 때 공기의 흐름이 나타나는 것처럼 회오리바람 한 줄기가 소금 가루를 휘감아 올려서 하얀 기둥이 생겨났다. 옌둥은 입 안으로 들어간 소금 가루를 뱉어 냈다. 그저 짠 정도가 아니었다. 말로 설명할 수 없을 만큼 쓰고 떫었다. 마치 인류에게 닥친 현실을 맛보는 것 같았다.

마지막 바다는 으레 그랬던 직육면체가 아니었다. 바닥 부분은 가장 깊은 바다였던 곳의 지형을 그대로 찍어 낸 모양이었다. 옌둥은 마지막 바다가 하늘로 올라 밝은 점이 되어 위풍당당한 얼음 고리로 섞여 들어갈 때까지 유심히 지켜보았다.

은하수만큼 넓은 얼음 고리는 동쪽에서 서쪽으로 창공을 가로질렀다. 얼음 고리는 천왕성이나 해왕성의 고리와는 달랐다. 지구의 구면에서 수직으로 높아지며 늘어선 것이 아니라 공중에서 수평으로 넓게 펼쳐진 빛의 스펙트럼처럼 보였다. 이 스펙트럼은 거대한 얼음 20만 개로 이루어져 지구 주위를 맴돌았다. 얼음덩어리들은 지면에서도 하나하나 확실히 구분해 낼 수가 있었고 그 모양도 또렷하게 보였다. 어떤 것은 자전하고 어떤 것은 정지한 채로 반짝이거나 반짝이지 않는 얼음 20만 개는 웅장하고 아름다운 은하수가 되어 하늘 위를 도도하게 흐르고 있었다.

얼음 고리의 빛깔과 밝기는 하루에도 몇 번씩 변화무쌍하게 바뀌었는데 새벽과 황혼 녘에 그 색채가 가장 풍부해졌다. 그때 얼음 고리의 색은 누런 지평선을 따라 빛나다가 새빨갛게 물들었다. 그리고 다시 푸르스름하다가 짙푸르게 변했다. 꼭 우주의 무지개를 보는 것 같았다.

낮에 파란 하늘에서 눈부신 은색으로 빛나는 모습은 평원에 흐르는 다이아몬드 강과 같았다. 가장 장관일 때는 고리 일식이 일어나는 순간이었다. 얼음 고리가 태양을 가릴 때면 수많은 얼음덩어리들이 햇빛을 굴절시켜서 너무나도 경이로운 불꽃 놀이가 펼쳐졌다. 태양을 가리는 시간에 따라 교차 일식과 평행 일식으로 나뉘었다. 평행 일식은 태양이 얼음 고리를 따라 일정한 거리를 함께 이동하는 것이었는데, 완전 평행 일식은 1년에 딱 한 번 일어났다. 해가 떠오를 때부터 질 때까지 계속 얼음 고리를 따라 이동하는 것이다. 이날 얼음 고리는 하늘에 뿌려진 은색 폭죽 띠가 됐다. 불꽃을 번쩍거리며 떠오른 해가 하늘을 가로질러 서쪽으로 떨어져 내리면 아름다움은 극에 달해 이루 말로 표현할 수가 없었다. 누군가 이렇게 감탄할 만했다.

"신이 하늘 위를 걷는 것만 같아."

하지만 평소 얼음 고리가 가장 매력적일 때는 밤이었다. 얼음 고리는 보름달보다 두 배는 밝은 은빛을 대지에 가득 흩뿌렸다. 마치 온 우주의 별이 촘촘하게 줄을 지어 밤하늘로 나아가고 있

는 듯했다. 그렇지만 은하수와는 또 달랐다. 이 웅장한 빛 무리의 직육면체 모양 별 하나하나는 그 모습이 전부 또렷하게 보였다. 빼곡하게 들어찬 별 중에서 절반인 10만이 반짝거리면 은하수에 물결이 이는 것 같았다. 마치 우주에서 부는 바람에 스친 은하수가 한 덩어리로 살아 꿈틀거리는 것처럼 말이다.

저온 예술가는 날카로운 소리와 함께 지면으로 내려와 옌둥의 머리 위에 멈추었다. 눈꽃송이가 곧바로 나풀거리며 그 주변을 감돌았다.

"완성했어. 당신이 보기엔 어때?"

옌둥은 오랫동안 입을 꾹 다물고 있다가 가까스로 한 마디를 내뱉었다.

"졌다."

옌둥은 정말로 지고 말았다. 3일 밤낮 동안 고개를 쳐들고 얼음 고리만 바라보고 있었다. 먹지도 마시지도 않아서 탈진할 때까지 말이다. 자리를 털고 일어나면 또다시 밖으로 나와 얼음 고리를 바라보았다. 죽을 때까지 보아도 모자랄 것 같았다. 얼음 고리 아래에서 그는 혼란스럽다가도 때때로 알 수 없는 행복에 빠져들었다. 예술가로서 궁극적인 아름다움을 발견했을 때 느낄 수 있는 행복이었다. 그는 이 웅장한 아름다움에 완전히 정복당해 영혼까지 빼앗기고 말았다.

"예술가로서 이런 창작물을 보게 되다니 더 바랄 게 있겠어?"

저온 예술가가 물었다.

"정말로 더 바랄 게 없군."

옌둥이 진심으로 대답했다.

"그렇지, 봐서 알겠지. 너는 이런 아름다움을 절대 만들어 낼 수 없어. 정말 하찮으니까."

"그래, 난 하찮아. 우린 너무 하찮다고. 그래서 어쩌라고? 누구든 자기 자신과 가족을 돌봐야 하잖아."

옌둥은 소금밭에 주저앉아 머리를 두 팔로 감싸고 상심에 잠겼다. 자신이 영원히 이룰 수 없는 아름다움을 만나고 영원히 뛰어넘을 수 없는 한계를 느꼈을 때 생기는 가장 깊고도 아픈 슬픔이었다.

"그럼 이 작품에 이름을 같이 지어 보자고. 꿈의 고리. 어때?"

옌둥은 잠시 생각하더니 천천히 고개를 저었다.

"아니야, 저건 바다에서 왔잖아. 아니면 바다가 승화한 것이라고 해야겠지. 바다가 이런 형태의 아름다움을 갖고 있다는 걸 우린 꿈에서도 생각하지 못했어. 꿈의 바다라고 하자."

"꿈의 바다……. 아주 그럴싸해. 그럼 꿈의 바다라고 해."

그때 옌둥은 자신의 사명을 떠올렸다.

"물어볼 게 있어. 떠나기 전에 꿈의 바다를 다시 현실의 바다로 돌려줄 수 있나?"

"내 작품을 내 손으로 망가뜨리라니, 웃기지 마!"

"그럼 네가 가고 나서 우리가 돌려놓는 건 가능한가?"

"당연히 그렇겠지. 얼음덩어리를 다시 갖다 놓으면 되잖아?"

"어떻게 갖다 놓지?"

옌둥은 위를 올려다보며 물었다. 인류 전체가 대답을 듣기 위해 귀를 쫑긋 세웠다.

"내가 어떻게 알겠어."

저온 예술가가 아무렇지 않게 말했다.

"마지막으로 묻겠어. 동료로서 우리는 얼음 예술품의 수명이 짧다는 걸 알고 있어. 그런데 꿈의 바다는……."

"꿈의 바다도 수명이 짧아. 얼음덩어리 표면에 있는 필터가 낡으면 더 이상 뜨거운 빛을 막을 수가 없거든. 그런데 얼음이 사라지는 과정은 너희의 얼음 조각하고는 완전히 달라. 더 강렬하고 멋지지. 얼음덩어리가 증발해서 압력이 점점 커지면 필터는 폭발하고 얼음덩어리는 작은 혜성으로 변신해. 얼음 고리 전체가 은빛 안개로 자욱해지면 꿈의 바다는 안개 속에서 사라지는 거지. 그 후에 은빛 안개도 우주로 산산이 흩어져. 그러고 나면 우주는 저 멀리서 나타날 나의 또 다른 작품을 기다리게 되겠지."

"얼마나 지난 후에 일어나는 일이지?"

옌둥의 목소리가 가늘게 떨렸다.

"필터의 효과는 너희의 시간으로 따졌을 때 음, 20년 정도야. 어휴, 왜 또 예술도 아닌 얘기를 꺼내는 거야? 정말 구질구질해. 좋아, 동료여! 잘 있어. 내가 남겨 준 아름다움을 잘 감상하라고."

저온 예술가는 재빠르게 상승하더니 금세 사라졌다. 세계에서 손꼽히는 천문 관측 기구 곳곳에서 관측한 결과, 저온 예술가는 황도면*과 수직 방향으로 빠르게 멀어졌다. 그리고 광속으로 속도를 높이더니 태양에서 13천문단위만큼 떨어진 우주에 이르자 보이지 않는 동굴로 들어가듯 갑자기 자취를 감추었다. 그 이후로 저온 예술가는 다시 나타나지 않았다.

* 지구에서 관찰했을 때 태양이 지나는 길을 연결한 평면을 말한다.

기념비와 광도파관

가뭄은 5년이나 계속됐다.

누렇게 뜬 대지가 차창밖을 스쳤다. 때는 여름이었지만 초록이라고는 한 점도 보이지 않았다. 나무는 전부 말라 죽고 바닥은 쩍쩍 갈라져서 시커먼 거미줄이 대지를 뒤덮은 듯 보였다. 이따금씩 뜨거운 바람이 일으킨 황사가 이 모든 광경을 훑고 지나갔다. 옌둥은 철로가에서 말라 죽은 시체를 몇 번이나 본 것 같았다. 하지만 죽은 나무에서 떨어져 나온 마른 가지를 봤을 때처럼 하나도 무섭지 않았다. 혹독한 가뭄으로 곳곳에 죽음이 널려 있는 세상과 하늘에서 은빛으로 반짝이는 꿈의 바다는 선명한 대비를 이루었다.

옌둥은 바싹 말라 갈라진 입술을 핥았다. 가지고 있는 물 한 병은 아까워서 차마 마시지도 못했다. 그의 가족에게 나흘 치로

배급된 물이었다. 아내는 기차역에서 옌둥에게 억지로 물을 쥐여 주었다. 어제 직장에서는 직원들이 월급을 물로 달라고 항의했다. 시장에서 불법으로 유통되는 물도 갈수록 줄어들어 돈이 있어도 살 수가 없었다.

누군가가 옌둥의 어깨를 쳤다. 옆자리에 앉은 사람이었다.

"당신 그 외계인 동료인가 하는 사람이지?"

인류와 저온 예술가 사이의 교류 사절이 된 후로 옌둥은 유명 인사가 됐다. 처음에는 영웅 대접을 받았지만 저온 예술가가 떠나고 나자 상황은 바뀌었다. 옌둥이 눈꽃 얼음 축제에서 저온 예술가의 영감을 불러일으키지만 않았다면 아무 일도 일어나지 않았을 거라는 이야기가 나왔다. 대부분은 그게 부질없는 소리라는 걸 알았지만 사람들은 언제나 남 탓하기를 좋아했다. 그래서 옌둥은 이제 사람들의 눈에 공모자로 비추어졌다. 다행히 그 사이 많은 일이 일어났고 옌둥은 사람들의 기억 속에서 차차 잊혀 갔다. 그런데 지금 선글라스까지 꼈는데도 누군가에게 들키고 말았다.

"나 물 좀 주지!"

그 사람이 쉰 목소리로 말했다. 입술에서 바짝 마른 껍데기가 떨어졌다.

"뭡니까, 뺏기라도 할 건가요?"

"알아서 기어. 안 그러면 소리 지를 거야!"

옌둥은 하는 수 없이 물병을 건넸다. 남자는 단숨에 물을 바닥까지 들이켰다. 옆에 있던 사람이 화들짝 놀라며 그를 바라보았다. 지나가던 열차 승무원도 우뚝 서서 한참이나 넋을 놓고 바라보았다. 이렇게 물을 벌컥벌컥 마시는 사람을 눈으로 보고도 믿지 못하는 눈치였다. 마치 바다 시대(저온 예술가가 오기 전의 시대를 이르는 말)에 어마어마한 부자가 한 사람에 10만 위안이나 하는 만찬을 즐기는 모습을 보는 것 같았다.

남자는 빈 물병을 옌둥에게 주고는 또 어깨를 툭툭 치면서 낮은 소리로 말했다.

"괜찮아, 금방 다 끝날 테니까."

옌둥은 그 말의 뜻을 이해할 수 있었다.

도로에는 이미 자동차가 크게 줄었다. 드문드문 보이는 것도 공랭식으로 개조한 차량뿐이었다. 물로 엔진을 냉각하는 전통적인 방식을 활용한 수랭식 자동차는 엄격하게 사용이 금지됐다.

운 좋게도 세계 위기관리 본부의 중국 지부에서 옌둥에게 차를 보내왔다. 그 차가 아니었다면 옌둥은 위기관리 본부 건물까지 가지도 못했을 것이다. 가는 내내 길은 모래 폭풍이 몰고 온 황사 먼지로 가득했다. 걷는 사람은 거의 눈에 띄지 않았다. 물도 충분하지 않은 상황에서 이런 뜨거운 바람 속을 걷는 것은 대단히 위험한 일이었다. 세상은 물 밖의 물고기마냥 마지막 숨을 몰아쉬고 있었다.

위기관리 본부 건물에 도착한 옌둥은 우선 책임자를 찾아갔다. 책임자는 옌둥을 커다란 사무실로 데리고 가서 여기가 앞으로 일하게 될 곳이라고 이야기했다. 옌둥은 다른 곳과 달리 이 사무실의 문에는 아무런 문패도 없다는 것을 발견했다.

"여기는 기밀 부서요. 사회 혼란을 막기 위해서 이곳의 모든 작업은 철저하게 기밀에 부쳐집니다. 부서 이름은 기념비부요."

사무실로 들어간 옌둥은 이곳에 있는 사람들이 전부 조금씩 괴상하다고 느꼈다. 머리카락이 너무 길거나 아예 없는 사람, 시절이 이렇게 험난함에도 굴하지 않고 말쑥하게 차려입은 사람, 반바지 말고는 아무것도 걸치지 않은 사람, 우울한 사람, 미칠 듯이 흥분한 사람……. 더군다나 사무실 가운데의 기다란 테이블에는 용도가 무엇인지도 모를 이상야릇한 물건이 가득했다.

"환영합니다, 얼음 조각가 선생!"

책임자의 소개가 끝나자 기념비부 부장이 옌둥에게 아주 열정적으로 손을 내밀었다.

"외계인에게서 얻은 영감을 발휘할 기회를 마침내 얻게 되셨군요. 당연히 이번에는 얼음을 사용하지 않습니다. 우리는 영원히 보존될 작품을 만들어야 하거든요."

"뭘 하는 겁니까?"

옌둥은 이해가 되지 않았다. 부장은 책임자를 쳐다보더니 다시 옌둥에게 말했다.

"아직도 모르시는 겁니까? 우리는 인류 기념비를 건립할 거예요."

그 말을 듣고서 옌둥은 어쩔 줄 몰라 했다.

"그러니까 인류의 묘비 말이오."

옆에 있던 한 예술가가 덧붙였다. 머리는 대단히 길고 옷은 다 낡고 해져서 퇴폐주의자 같은 모습이었다. 손에 이과두주 한 병을 든 그는 거나하게 취기가 올라 있었다. 바다 시대에 만들어진 이과두주는 이제 값이 물보다 더 쌌다.

옌둥이 사방을 둘러보면서 말했다.

"하지만……. 우린 아직 죽지 않았잖아요."

"죽을 때를 기다리면 너무 늦지요. 최악의 경우를 미리 생각해야 합니다. 지금이 바로 그때죠."

책임자의 말에 부장이 고개를 끄덕이며 말을 이었다.

"이건 인류의 마지막 예술 작품이 될 겁니다. 가장 위대한 창작물이기도 하고요. 예술가의 한 사람으로서 이 일에 함께하는 것보다 더 행복한 일이 또 있을까요?"

"사실 그거 전부 다…… 쓸데없잖아! 묘비는 후손들이 우리를 기억하라고 만드는 거야. 후손도 없는데 무슨 비를 세워?"

장발의 예술가가 술병을 흔들며 외쳤다.

"말씀 똑바로 하세요. 기념비라고요!"

부장이 엄숙하게 말을 바로잡고는 옌둥에게 웃으면서 말했다.

"저 사람, 말은 저렇게 해도 아이디어는 꽤나 창의적이에요. 전 세계 사람들의 치아를 하나씩 모아 커다란 비석을 세우자는 의견을 내놨거든요. 치아마다 글자를 하나씩 새기는 거예요. 인류 문명의 역사를 상세히 새기기에 충분할 겁니다."

부장은 하얀 피라미드처럼 생긴 모형을 가리켰다.

"그건 인류를 모독하는 일입니다! 인류의 가치는 대뇌에 있는데 치아로 기념을 하다니요!"

대머리 예술가가 고함을 질렀다. 옆에 있던 장발 예술가는 또 다시 병을 기울여 술을 한 모금 마셨다.

"이빨……. 이빨이 보존하기 좋아!"

"하지만 인류 대다수는 아직 살아 있습니다!"

옌둥이 다시 한번 진지하게 말했다.

"그래서 얼마나 더 살 수 있는데?"

장발 예술가가 말을 받았다. 막상 이야기가 시작되자 그는 청산유수로 말솜씨를 뽐냈다.

"하늘에서는 비도 한 방울 안 내리고 강은 바짝 말라서 농작물 수확을 아예 못 한 지도 벌써 3년이야. 공장도 90퍼센트는 멈췄는데 남은 식량과 물로 얼마나 더 버틸 수 있냐고!"

"쓸모없는 놈들."

대머리 예술가가 책임자를 가리키며 말했다.

"5년이라는 시간을 쏟아부어 놓고 아직까지 하늘에서 얼음을 한 조각도 못 갖고 오다니!"

대머리 예술가의 질책에도 책임자는 콧방귀만 뀌었다.

"일이 그렇게 간단하지 않아요. 현재의 기술로도 궤도에서 얼음 하나 가져오는 건 어렵지 않습니다. 100개, 1,000개쯤 끌어 내리는 것도 가능은 해요. 하지만 우주에서 지구를 따라 도는 얼음 20만 개를 전부 다 끌어 내리는 건 완전히 다른 얘기입니다. 전통적인 방법대로 로켓엔진을 이용해서 얼음덩어리 속도를 늦추고 대기권으로 돌아오게 하려면, 연속으로 사용할 수 있는 어마어마한 출력의 엔진을 먼저 만들어야 합니다. 그리고 그걸 우주로 쏘아 올려야 하고요. 그건 정말 엄청난 공학 기술이거든요. 현재 인류의 기술 수준과 비축된 자원으로는 극복할 수 없는 장벽을 수도 없이 만나게 될 겁니다.

예를 들어 지구의 생태계를 보호하는 문제를 떠올려 보세요. 지금부터 시작해서 4년 내에 얼음덩어리 절반을 끌어 내린다고 가정하면 매년 평균 2만 5,000개의 얼음덩어리를 옮겨야 합니다. 그때 필요한 로켓연료의 중량은 바다 시대에 인류가 1년 동안 소모한 휘발유보다 더 많아요! 심지어 휘발유도 아니죠. 액체 수소, 액체 산소와 사산화이질소, 비대칭디메틸히드라진 같은 것들이에요. 그걸 만들기 위해서 소모되는 에너지와 자원은 휘발유를 생산하는 것의 100배 이상이고요. 이런 것들이 전체 계획을 불가능하게 만드는 겁니다."

장발 예술가가 고개를 끄덕였다.

"그래서 마지막 날이 얼마 남지 않았다는 거군."

"아뇨, 그렇지 않습니다. 전통적이지 않고 정상적이지 않은 방법을 써 볼 수 있어요. 아직 희망은 있습니다. 하지만 노력하는 동시에 최악의 상황에도 대비를 해야죠."

"그래서 제가 여기로 오게 된 거군요."

옌둥이 말했다.

"최악의 상황에 대비하기 위해서?"

장발 예술가가 물었다.

"아뇨. 희망을 위해서요."

옌둥은 책임자를 향해 돌아서서 말했다.

"무슨 일로 저를 이리 데려오셨든 저는 이제 제 목적이 생겼습니다."

옌둥은 자신이 메고 온 커다란 배낭을 가리켰다.

"저를 해양 회수부로 데려가 주십시오."

"회수부로 가서 뭘 하게요? 거긴 과학자들과 기술자들뿐이에요!"

대머리 예술가가 이상하다는 듯 물었다.

"저는 응용광학 연구를 했었고 직책도 연구원이었습니다. 당신들처럼 꿈을 꾸는 것 말고 더 구체적인 일을 할 수 있어요."

옌둥이 주위의 예술가들에게 눈을 흘겼다.

옌둥이 고집을 부리자 책임자는 결국 그를 해양 회수부로 데려갔다. 그곳의 분위기는 기념비부와 확연히 달랐다. 모두가 컴퓨터 앞에 앉아 진지하게 일하고 있었다. 사무실 한가운데에는 언제든 물을 마실 수 있도록 정수기가 마련되어 있었다. 거의 국왕에 맞먹는 대우였다. 이들에게 인류의 희망이 전부 걸려 있다는 것을 생각하면 이런 대우도 무리는 아니었다.

해양 회수부의 수석 엔지니어를 만난 옌둥이 이야기를 꺼냈다.

"얼음덩어리를 다시 회수할 방안을 가지고 왔습니다."

옌둥은 배낭을 열고 팔뚝만큼 두꺼운 하얀색 관을 꺼냈다. 이어서 약 1미터짜리 원통을 꺼냈다. 옌둥은 태양과 가까운 창문 앞으로 가서 원통을 창밖으로 내밀어 뒤집어진 우산처럼 펼쳤다. 이 물체의 오목한 면에는 반사필름이 도금되어 있어서 태양열을 모으는 포물선 반사경 역할을 했다. 옌둥은 이어서 하얀색 관을 반사경 아래쪽의 원통에 꽂았다. 그리고 반사경의 방향을 조절해 햇빛이 관의 끝부분에 모이도록 했다. 그 즉시 관의 반대쪽 끝에서 사무실 바닥으로 눈부신 빛이 쏟아졌다. 관을 땅바닥에 내려놓자 빛 무리는 기다란 타원 모양으로 이어졌다.

"이건 최신 광섬유로 만든 광도파관*입니다. 빛을 이동시킬 때 손실이 아주 적어요. 물론 실제로 쓰이는 치수는 이보다 훨씬 커야 될 텐데요. 우주에서는 직경 20미터 정도의 포물선 반사경을 이용하면 광도파관의 반대쪽으로 섭씨 3,000도 이상의 빛을 뽑아낼 수 있을 겁니다."

옌둥이 주위를 둘러보았다. 그러나 그의 시연은 기대한 반응을 얻어내지 못했다. 엔지니어들은 옌둥을 잠시 바라보더니 이내 무시하고는 자신의 컴퓨터 모니터에 집중하기 시작했다. 빛 때문에 바닥에서 푸른 연기가 피어오르자 그제야 가장 가까이

* 빛을 전달하는 물질을 이용해 빛을 가두어 다른 곳으로 전송하는 관을 말한다.

에 있던 사람이 다가와 이야기했다.

“뭐 하세요. 추워서 불이라도 피우는 겁니까?”

동시에 그는 광도파관을 가볍게 뒤로 잡아당겼다. 빛을 모으는 끝부분이 반사경의 초점에서 벗어났다. 바닥에는 아직도 빛무리가 나타났지만 금세 희미해졌고 뜨거움도 가셨다. 옌둥은 깜짝 놀랐다. 그 사람이 이 물건에 대해서 이미 너무 잘 알고 있기 때문이었다.

수석 엔지니어는 광도파관을 가리키며 말했다.

“이것들 얼른 챙기시고 물이나 한잔하시죠. 기차 타고 오셨다면서요. 창춘에서 여기까지 아직도 기차가 다닙니까? 목마르실 것 같은데.”

옌둥은 자신의 발명품에 대해서 설명을 하고 싶었다. 하지만 목이 마른 것도 사실이었다. 바짝 마른 목구멍에서는 말도 제대로 나오지 않았다.

“아주 좋습니다. 현재까지 실현 가능성이 가장 높은 방법이거든요.”

수석 엔지니어가 옌둥에게 물을 한 잔 건넸다. 옌둥은 단숨에 컵을 비우고 수석 엔지니어를 멀뚱멀뚱 바라보며 물었다.

“그 말은, 이미 누군가가 이 방법을 생각해 냈다는 겁니까?”

수석 엔지니어가 웃으며 말했다.

"외계인과 만나더니 인간의 지능을 너무 얕잡아 보시는군요. 사실 저온 예술가가 첫 번째 얼음을 궤도에 올려놓았을 때, 수많은 사람들이 이미 이 방법을 생각했어요. 그리고 수많은 변형이 이루어졌죠. 예를 들어 반사경을 태양광 전지판으로 바꾸고 광도파관을 전선과 전열선으로 바꾸는 거예요. 제조와 운송이 쉽다는 게 장점이지만 효율이 광도파관만큼 높지 않다는 게 단점이죠. 지금까지 벌써 5년이나 연구를 진행해 왔습니다. 기술적으로는 이미 완성 단계에 이르렀고 필요한 설비도 대부분 만들어 냈어요."

"그럼 왜 실행에 옮기지 않는 거죠?"

옆에 있던 한 엔지니어가 대답했다.

"이 방법으로는 바닷물의 21퍼센트를 잃게 됩니다. 그만큼은 수증기로 변해 흩어지거나 대기로 들어올 때 고온 때문에 분해되고 말거예요."

수석 엔지니어가 그 엔지니어에게로 돌아서며 말했다.

"아직 모르고 계시겠지만 미국 최신 컴퓨터의 모의실험 결과로는 전리층* 아래에서는 고온에 의해 분해된 수소가 주위의 산소와 즉시 반응해 다시 물이 된다고 합니다. 그러니까 고온 분

* 대기 중에서 태양에너지에 의해 기체가 이온으로 분리되어 있는 구간. 지상에서 50킬로미터 이상의 높이부터 나타난다.

해로 손실이 예상되는 수치가 여태까지 너무 높았던 거죠. 총 손실률은 18퍼센트일 것으로 예상됩니다."

수석 엔지니어는 다시 옌둥을 향해 돌아섰다.

"하지만 이 비율도 결코 낮은 건 아니지요."

"그럼 우주의 물을 전부 가져올 다른 방법이 있는 겁니까?"

수석 엔지니어가 고개를 저었다.

"유일한 가능성은 핵융합 엔진을 사용하는 거예요. 하지만 지금 지구상에서는 통제 가능한 핵융합을 해낼 수가 없습니다."

"그러면 왜 뭐라도 빨리 하지 않는 겁니까? 망설이다가는 전부를 잃는다는 걸 알아야죠."

수석 엔지니어가 결연하게 고개를 끄덕였다.

"그래서 우리도 한참을 망설인 끝에 행동하기로 결정했습니다. 곧 지구는 생존을 건 사투를 하게 될 겁니다."

해양 회수 작전

엔둥은 해양 회수부에서 생산된 광도파관을 검사하는 일을 맡았다. 핵심 업무는 아니었지만 충분히 만족스러웠다. 엔둥이 수도에 온 지 한 달이 지나자 인류의 해양 회수 작전이 시작됐다.

일주일이라는 짧은 시간 동안 전 세계의 발사기지에서 800기나 되는 수송 로켓을 발사해서 5만 톤이나 되는 수하물을 지구궤도로 진입시켰다. 북아메리카의 발사기지에서는 우주왕복선 스무 대가 300명의 우주비행사를 우주로 실어 날랐다. 같은 항로를 따라 계속해서 발사되는 우주선 때문에 각 기지 상공에는 로켓이 남긴 구름이 사라질 날이 없었다. 지구궤도에서 보면 각 대륙에서 우주로 거미줄이 뻗어 나온 것처럼 보였다.

이번 발사로 우주를 향한 인류의 활동 규모가 대단위로 향상되었지만 사용된 기술은 여전히 20세기 초 수준이었다. 그래서 지금 상황에서는 전 세계가 한마음 한뜻으로 힘을 모아야 한다는 것을 사람들도 알고 있었다.

옌둥과 사람들은 첫 번째 얼음에 감속 추진 시스템이 설치되는 과정을 생방송으로 똑똑히 지켜보았다.

첫 작업을 쉽게 진행하기 위해서 우주선은 자전하지 않는 얼음에 착륙했다. 우주비행사 세 명이 얼음 위로 가져간 장비는 얼음을 뚫고 들어가는 대포알 모양의 시추선, 광도파관 세 뭉치, 분사관 한 뭉치, 접혀진 포물선 반사경 세 뭉치였다. 얼음덩어리의 거대함이 새삼 느껴졌다. 세 사람은 크리스털 행성에 내린 것처럼 보였다. 우주에서는 강렬한 태양광이 쏟아지고 발아래 얼음은 그 깊이를 헤아릴 수가 없었다. 어두운 하늘 위로는 먼 곳, 가까운 곳 할 것 없이 수많은 크리스털 행성이 둥둥 떠다녔다. 아직 자전하고 있는 것들도 있었다. 주위의 얼음덩어리들이 햇빛을 반사 또는 굴절시키자 세 사람이 서 있는 얼음판 위로 빛과 그림자가 뒤섞여 두 눈을 어지럽혔다.

얼음덩어리는 지구에서 멀어질수록 점점 작아졌지만 밀도는 오히려 갈수록 커졌다. 점점 치밀해지는 은색 띠는 지구 반대 방향을 향해 이어지고 있었다. 그들이 있는 얼음덩어리에서 가장 가까운 얼음덩어리는 거리가 고작 3킬로미터밖에 되지 않았고, 짧은 지름을 축으로 자전하고 있었다. 우주 비행사들은 이

자전에 완전히 눈을 빼앗겼다. 마치 크리스털 고층 빌딩이 계속해서 무너져 내리는 모습을 개미 세 마리가 지켜보고 있는 것 같았다. 두 얼음덩어리는 시간이 지나면 인력에 의해서 서로 부딪힐 것이고 필터가 망가질 것이다. 얼음덩어리가 부서지기라도 한다면 아주 빠르게 햇빛에 녹아 없어질 것이다. 이런 과정이 이미 얼음 고리에서 두 번이나 일어났고, 이 얼음을 목표로 삼은 것도 그런 이유였다.

설치 작업이 시작되자 우주비행사 한 명이 시추선에 시동을 걸었다. 시추선이 뱅글뱅글 돌아가자 얼음 가루가 원뿔 모양으로 흩날리며 햇빛 아래에서 눈부시게 반짝였다. 시추선이 보이지 않는 필름을 꿰뚫고 나사가 돌아가듯 얼음판을 파고들었다. 그러자 동그란 구멍이 생겼다. 구멍이 얼음층 깊숙한 곳으로 뻗어 갈수록 위에서는 얼음덩어리 속의 하얀 선이 길어지는 모습이 희미하게 보였다. 예정된 깊이에 도달하자 시추선은 방향을 바꾸어 얼음판의 다른 쪽을 뚫고 나왔다. 이렇게 굴이 뚫렸다. 얼음덩어리 깊은 곳으로 굴이 총 네 개 뚫렸고, 굴은 얼음층 깊은 곳에서 서로 교차됐다. 이어서 우주비행사들은 광도파관 세 뭉치를 구멍 세 군데에 꽂아 넣었다. 그리고 분사관을 지름이 가장 큰 네 번째 구멍에 넣었다. 분사관의 분사구는 얼음덩어리가 움직이는 방향과 정확히 반대로 두었다. 그런 후에 그들은 가는 관을 이용해 광도파관과 분사관의 구멍 사이에 남은 공간이 잘 밀봉되도록 급속 응고 액체를 채워 넣었다.

마지막으로 포물선 반사경을 펼쳐 놓았다. 바다를 되돌리려는 첫 번째 시도에 어떤 최신 기술을 적용했는지 이야기한다면 그 주인공은 단연 이 반사경일 것이다. 반사경은 나노미터 과학기술이 만들어 낸 기적이었다. 접혀진 상태로는 1세제곱미터 크기밖에 되지 않았지만 펼친 후에는 지름이 500미터나 되는 초대형 반사경으로 변신했다. 이 반사경 세 개는 마치 얼음덩어리 위에 피어난 은빛 연잎 같았다. 우주비행사들은 광도파관의 끝부분을 잘 조정해 빛을 받아들이는 끝부분과 반사경의 초점을 맞추어 놓았다.

얼음층 깊은 곳, 구멍 세 개가 교차하는 지점에 환한 빛이 떠올랐다. 그 빛은 마치 작은 태양처럼 얼음덩어리 속의 신비한 풍경을 비추어 냈다. 은빛 물고기 떼, 파도를 따라 춤추는 해초……. 바다가 얼어 버린 순간에 살아 움직이던 상태가 생생하게 남은 것이다. 심지어 물고기 입에서 잇달아 나온 공기 방울마저 또렷하게 확인할 수 있었다. 100여 킬로미터 거리에서 작업 중이던 얼음덩어리 안에서는 광도파관이 얼음층 깊은 곳에 빛을 비추자 거대한 그림자가 나타났다. 길이가 20미터나 되는 흰긴수염고래였다! 그야말로 인류에게 바다였던 바로 그곳이었다.

얼음층 깊은 곳의 빛을 수증기가 금세 흐릿하게 뒤덮었다. 증기가 빛을 산란시키자 빛이 하얀 공으로 변했고, 얼음이 점점 녹으면서 빛의 공도 점점 커졌다. 증기로 인해 내부압력이 일정 수치까지 오르니 분사구를 덮었던 마개가 튕겨 나면서 수증기가 맹렬한 기세로 뿜어져 나왔다. 아무런 저항이 없는 우주로 나온 수증기는 저 멀리 퍼져 나가더니 결국 햇빛 속에서 희미하게 사라졌다. 수증기 중 일부는 다른 얼음덩어리의 그림자 속으로 들어가서 얼음 결정으로 굳어졌다. 마치 달그림자 속에서 깜빡이는 반딧불이 같았다.

우선 얼음덩어리 100개에 감속 추진 시스템이 가동됐다. 얼음덩어리는 질량이 무척 컸기 때문에 시스템에서 발생하는 추진력은 상대적으로 미미할 수밖에 없었다. 그래서 얼음덩어리가 대기층으로 들어오도록 감속을 하려면 적게는 15일에서 한 달의 시간이 걸렸다. 얼음덩어리가 떨어져 내리기 전, 우주비행사들은 다시 한번 얼음덩어리 위에 올라가 광도파관과 반사경을 회수했다. 20만 개나 되는 얼음덩어리를 모두 떨어트리기 위해서는 이 장치들을 사용할 수 있을 때까지 재사용해야 했다.

나중에 자전하는 얼음을 회수하는 작업은 더욱 복잡했다. 추진 시스템으로 우선 자전을 멈추게 한 후에 다시 감속을 진행해야 했기 때문이다.

별똥얼음

엔둥과 위기관리 본부 사람들은 태평양 중부 평원으로 가서 첫 번째 별똥얼음이 떨어지는 것을 보았다.

예전에 해저 평원이던 곳은 하얗게 변해서 강렬한 햇빛을 반사시키고 있었다. 선글라스를 끼지 않고는 눈도 제대로 뜰 수 없을 지경이었다. 하지만 옌둥은 그 모습을 보고 고향인 둥베이의 설원을 떠올리지는 않았다. 이곳은 지옥처럼 뜨겁기 때문이었다. 지면 온도는 섭씨 50도에 육박했고 후끈거리는 바람이 소금 가루를 싣고 와 얼굴을 때렸다.

저 멀리 10만 톤짜리 유조선이 보였다. 거대한 선체가 지면으로 기울어지고 건물 몇 층 높이의 스크루와 키에 소금이 켜켜이 쌓여 있었다. 더 먼 곳으로는 하얀 산들이 굽이굽이 이어져 있었다. 인류가 결코 본 적이 없는 해저산맥이었다. 옌둥은 머릿속으로 시구를 하나 떠올렸다.

바다가 배에게는 육지와 같고, 칠흑 같은 밤이 사랑에게는 한낮의 절정과 같아라.

그는 이런 엄청난 재난을 겪고서도 예술가의 생각을 벗지 못한 자신에게 쓴웃음이 나왔다.

갑자기 환호성이 들렸다. 옌둥은 사람들이 가리키는 방향을 올려다보았다. 하늘을 가로지르는 은색 얼음 고리 가운데서 붉은빛이 하나 나타났다. 얼음 고리에서 이탈한 빛은 불꽃 덩어리로 부풀어 올랐고 덩어리 뒤쪽으로는 하얀 꼬리가 길게 늘어졌다. 이 수증기 꼬리는 갈수록 길어지고 굵어졌다. 색깔도 점점 더 진하게 하얘졌다. 덩어리는 순식간에 수십 조각으로 쪼개졌고 쪼개진 조각 하나하나가 다시 쪼개지며 긴 꼬리를 그렸다. 하얀 꼬리의 흔적이 하늘을 반쯤 가렸다. 가지 끝마다 환한 빛을 매달고 있는 하얀 크리스마스트리처럼 보였다.

더 많은 별똥얼음이 나타나 초음속으로 쏟아져 내리자 폭발하는 것 같은 소리가 지면까지 전해졌다. 마치 봄 하늘에 울려 퍼지는 천둥소리 같았다. 하늘에 생긴 수증기의 흔적은 점점 옅어지고, 또 새로운 흔적이 나타나기를 반복하며 복잡하게 얽혀

하얗고 거대한 그물이 됐다. 그렇게 물 수조 톤이 지구로 되돌아왔다.

별똥얼음 대부분은 공중에서 기체로 변했는데 약간 커 보이는 얼음 조각 하나가 땅까지 떨어졌다. 옌둥이 있는 곳에서 약 40킬로미터 정도 떨어진 지점이었다. 해저 평원에서는 거대한 소리와 함께 진동이 일어났고, 먼 산맥 사이에서 수증기가 버섯 모양으로 뭉게뭉게 솟아올랐다. 이 커다란 수증기 덩어리는 햇빛에 반짝이며 바람에 실려 넓게 흩어지더니 첫 번째 구름이 됐다. 구름은 점차 넓어져서 5년 동안이나 대지를 뜨겁게 달구던 태양을 가리고 하늘을 완전히 뒤덮어 버렸다. 옌둥은 가슴 깊숙한 곳이 시큰해지는 것을 느꼈다.

구름은 점점 더 시커멓고 두껍게 끼었다. 그 속에서 붉은빛이 깜빡였다. 번개인지 아니면 계속해서 떨어지는 별똥얼음의 빛인지 알 수 없었다.

그러다 마침내 비가 내렸다. 바다 시대에도 만나기 힘들었던 대단한 폭우였다. 옌둥과 사람들은 빗속에서 환호를 지르며 펄쩍펄쩍 뛰어다녔다. 비에 씻겨 영혼까지 없어질 것 같은 느낌이었다. 그러나 모두들 곧 차나 비행기 안으로 숨어들어야 했다. 숨이 막힐 정도로 비가 쏟아졌기 때문이다.

비는 황혼 무렵이 되어서야 겨우 그쳤고 해저 평원의 곳곳에 물웅덩이가 나타났다. 구름 사이로 반짝거리며 얼굴을 내민 금빛 석양은 마치 갓 뜬 대지의 눈처럼 아름다웠다.

엔둥은 사람들을 따라서 질척거리는 소금물을 밟으며 가장 가까운 물웅덩이 앞으로 갔다. 그리고 소금이 잔뜩 녹아들어 무거워진 물을 한 움큼 떠서 자신의 얼굴에다 끼얹었다. 물과 눈물이 뒤섞여 함께 흘러내리는 가운데 엔둥은 흐느껴 울었다.

"바다다. 우리의 바다야……."

에필로그

10년 후.

옌둥은 얼음으로 뒤덮인 쑹화강 위를 걷고 있었다. 낡은 겉옷을 걸친 그의 여행 배낭에는 15년이나 써 온 도구들이 들어 있었다. 모양이 각기 다른 조각칼, 망치, 물뿌리개 등이었다. 그는 발을 쿵쿵 굴러서 강 표면이 확실히 얼었음을 확인했다.

쑹화강은 5년 전부터 물이 다시 흘렀지만 얼어붙은 것은 이번이 처음이었다. 게다가 지금은 여름이었다. 그동안은 가뭄으로 비가 적었고, 또 엄청난 수의 별똥얼음이 대기권 안에서 중력의 위치에너지를 열에너지로 바꾸는 바람에 기후가 무덥기 그지없었다. 그런데 바다를 회수하는 마지막 단계에서 가장 커다란 얼음덩어리를 끌어 내리던 중에 한 가지 사건이 있었다. 이 얼음덩어리는 작게 흩어진 조각마저도 꽤 큰 덩어리여서 곧

바로 지면으로 곤두박질쳤다. 이때 몇몇 도시가 파괴되었을 뿐만 아니라 충돌할 때 일어난 먼지폭풍이 태양에너지가 전달되는 것을 막아 버렸다. 그러자 기온이 갑자기 떨어져 지구는 새로운 빙하기를 맞이하게 됐다.

옌둥은 밤하늘을 올려다보았다. 어린 시절에 보았던 그 하늘이었다. 얼음 고리는 벌써 사라지고 없었다. 아직 우주에 남은 작은 얼음덩어리들과 먼 곳에 있는 별은 빠르게 움직일 때만 구분할 수 있었다. 꿈의 바다는 다시 현실의 바다로 돌아왔다. 이 웅장한 예술 작품의 아름다움과 악몽 같았던 사건은 사람들의 기억 속에 영원히 아로새겨졌다.

바다를 회수하는 작업은 이미 끝났지만 앞으로 지구의 기후는 훨씬 더 열악해질 것이고, 생태계를 회복하려면 아주 오랜 시간이 걸릴 것이 틀림없다. 또 가까운 미래까지는 인류의 생활이 매우 험난할 것이다. 하지만 모두들 살아갈 수만 있다면 그걸로 충분히 만족스러웠다. 얼음 고리 시대가 인류에게 만족하는 법을 배우게 한 것이다.

사실 인류는 더 중요한 것을 배웠다. 지금 세계 위기관리 본부는 우주 수분 조달 본부로 이름을 바꾸고 거대한 프로젝트를 준비하고 있다. 해양을 회수해 올 때 손실된 물 18퍼센트를 채워 넣기 위해서 목성형행성*이 있는 먼 곳까지 날아가 목성의 위성과 토성의 고리에 있는 수분을 지구로 끌어오려 하는 것이다.

인간은 이제 능숙해진 얼음 회수 기술을 이용해 토성의 고리에 있는 얼음덩어리를 지구 쪽으로 끌어오려 한다. 태양에서 먼 곳은 햇빛이 매우 약하기 때문에 핵융합만 이용하면 얼음의 핵을 기체로 바꾸어 필요한 추진력을 얻을 수 있다. 목성의 위성에 있는 물을 얻으려면 더 복잡하고 광범위한 기술을 이용해야 한다. 유로파**를 목성의 거대한 인력장에서 끄집어낸 다음, 지구로 끌고 와서 두 번째 위성으로 삼자고 주장하는 사람도 있었다. 그렇게 하면 지구에서는 잃어버린 18퍼센트보다 더 많은 물을 확보할 수가 있고 이는 지구 생태계를 천국과 같이 풍요롭게 만들 수 있다.

물론 이 모두는 먼 미래의 일이고 지금 살아 있는 사람은 이런 꿈이 실현되는 것을 볼 수 없다. 그러나 이 실낱같은 희망은 사람들에게 힘겨운 생활 속에서도 전에 없던 행복을 느끼게 했다. 이것이 바로 인류가 얼음 고리 시대를 겪으며 얻은 제일 큰 재산이었다. 꿈의 바다를 되돌려 놓으며 인류는 자신의 역량을 깨달았고 감히 상상도 하지 못했던 꿈을 꾸게 됐다.

옌둥은 저 멀리 얼음판 위에 사람들이 모여 있는 것을 발견했

* 지구보다 크기가 훨씬 크고 평균 밀도가 낮은 행성을 이르는 말. 목성, 토성, 천왕성, 해왕성이 있다.
** 목성의 위성. 표면이 얼음으로 덮여 있어 아래에 바다와 생명체가 존재할 것으로 여겨진다.

다. 쭉쭉 미끄러지듯 다가가자 사람들이 그를 발견하고 달려왔다. 넘어져 일어나고 또 넘어지면서 달려오는 사람도 있었다.

"하하, 이 친구!"

가장 앞서 달려온 사람이 엔둥을 반갑게 껴안았다. 엔둥도 그를 알아보았다. 얼음 고리 시대가 오기 전에 눈꽃 얼음 축제에서 몇 해나 심사 위원을 맡았던 사람이었다. 이어서 엔둥은 다른 사람들도 알아보았다. 얼음 조각가였던 그들 대부분은 지금이 시대의 여느 사람들과 같이 낡고 해진 옷을 입고 있었다. 고난과 세월의 무상함이 이미 그들 몇몇의 머리에 하얗게 내려앉아 있었다. 엔둥은 마치 몇 년을 떠돌다 집으로 돌아온 것 같은 느낌이 들었다.

"듣자 하니 눈꽃 얼음 축제를 다시 한다던데?"

엔둥이 물었다.

"당연하지. 안 그러면 우리가 여기 뭐 하러 왔겠어?"

"내가 곰곰이 생각해 봤는데 시절이 아직 이렇게 힘든데……."

엔둥은 다 해진 겉옷을 꽁꽁 싸매고 차가운 바람에 덜덜 떨며 얼어서 감각이 없는 발을 계속 굴렀다. 다른 사람들도 마찬가지로 부들부들 떨면서 발을 동동 굴렀다. 꼭 거지들의 모임 같았다.

"치, 시절이 힘든 게 어때서. 시절이 힘들다고 예술을 버려서는 안 돼. 그래, 안 그래?"

한 늙은 얼음 조각가가 이를 딱딱거리며 말했다.

"예술은 문명이 존재하는 유일한 이유라고!"

다른 사람이 말했다.

"말도 안 돼. 이 몸이 존재하는 이유는 더 많아!"

옌둥이 소리를 지르자 모두가 너털웃음을 터뜨렸다.

이윽고 다 같이 침묵에 휩싸였다. 지난 10여 년의 힘든 세월이 떠오른 것이다. 그들은 자신이 존재하는 이유를 하나하나 떠올렸다. 하지만 결국, 대재앙에서 살아남은 생존자인 자기 자신을 한 사람의 예술가로 되돌려 놓았다.

옌둥이 술 한 병을 꺼냈다. 모두가 너 한 모금, 나 한 모금 돌려 마시며 몸을 따뜻하게 데웠다. 그리고 탁 트인 강기슭에 불을 지핀 후, 혹한 속에서도 전기톱이 제대로 돌아갈 수 있게 충분히 달구었다. 얼음판 위로 올라간 그들은 다 함께 전기톱으로 위잉위잉 얼음판을 잘랐다. 순백의 얼음 가루가 사방으로 흩날리고 잠시 후 그들은 투명하게 반짝이는 첫 번째 얼음을 쑹화강 위로 끄집어 올렸다.

다중우주는 정말 존재할까?

이번 권은 각 편의 주제가 가지각색이다. 앞의 두 편에서는 공룡이 등장하고, 세 번째 이야기에서는 다중우주에 관한 재미있는 이야기가 펼쳐지며, 마지막 이야기에서는 불가사의한 외계인과 상상을 초월하는 힘으로 똘똘 뭉쳐 위기에 대응하는 인류가 등장한다.

지구의 나이는 45억 년이다. 이 45억 년 중에서 대략 3분의 2 정도 되는 기간 동안 생물이 존재해 왔다. 생물의 역사는 참으로 다사다난했다. 아예 생물이 멸종한 사건도 몇 번이나 겪었다. 큰 사건은 다섯 번 정도였는데 그중 마지막 사건은 6500만 년 전에 일어났던 공룡의 대멸종이다. 그때 일어난 재난으로 생물의 약 80퍼센트가량이 멸종했는데, 특히 1억 4000만 년이나 존재하던 공룡이 멸종하고 그들의 변종인 조류만이 살아남았다. 공룡이 멸종된 후에는 포유동물이 크게 번성했다. 아마 공룡이 멸종되지 않았다면 오늘날의 인류는 없었을 것이다.

공룡은 도대체 왜 멸종한 것일까? 이에 관해서는 견해가 아주 다양하다. 화산 폭발 때문이라는 의견도 있고, 태양의 쌍성인 네메시스 때문이라는 의견도 있다. 가장 주류로 인정되는 것은 지름 10킬로미터의 소행성이 지금의 멕시코 유카탄반도와 충돌했다는 설이다. 그 효과는 가장 강력했던 지진의 100배이며 수많은 핵폭탄으로 지구에 폭격을 가하는 것과 맞먹는다고 한다. 이 주류 관점은 백악기에서 고제3기로 넘어가는 지층 속에 이리듐 함량이 비정상적으로 많다는 점에서 지지를 얻고 있다.

「백악기 이야기」는 바로 그 다량의 이리듐 함량에 착안해 구성된 이야기이다. 백악기 말, 공룡은 이미 지능이 고도로 발달한 생물이었고 개미의 도움으로 문명을 꽃피운다. 이 문명은 지금의 인류 문명과 비슷하다. 높이가 1만 미터도 넘는 고층 건물에 위성이나 비행기도 있고 정보화 시대에도 진입한다. 류츠신은 역사의 진화를 가정했다. 처음에는 공룡과 개미에게 지능이 없었는데 우연한 사건으로 공생이 시작된다. 이런 공생의 효과는 엄청났다. 공룡과 개미의 진화가 급속도로 빨라졌고 5만 년이라는 시간 동안 공룡은 석기, 청동기, 철기, 증기기관, 전기, 원자력 시대를 거쳐 마지막으로 정보화 시대를 맞이한다.

공룡 세계는 지리적으로 두 왕국으로 나뉘어 두 대륙에 각각 하나씩 제국이 있다. 국가와 지역이 수백 개씩 있는 요즘보다는 훨씬 낫지만 어쨌든 두 제국으로 나뉘었기 때문에 마찰은 피할 수 없었다. 그래서 두 나라는 각자 반물질 혜성에서 반물질 조각을 구해 지구로 가지고 왔다. 그리고 상대 나라의 영토와 가까운 지역에 가져다 두었다. 만약 이 반물질 조각이 폭발한다면 지구는 멸망할 운명이었다.

개미 세계에서는 이 일을 전혀 알지 못한 채 두 공룡 제국의 핵무기를 없애 달라고 요구했다. 그와 함께 개미 세계의 파업으로 공룡 제국은 통제력을 잃어버리고 결국 두 반물질 폭탄은 터지고 만다. 반물질 폭탄은 공룡 문명을 완전히 파괴해 버린다. 이는 백악기에 일어난 대멸종에 관한 류츠신의 또 다른 해석이다. 소행성의 충돌로 지구가 핵겨울을 맞이했다는 설과 충분히 견줄 만하다. 백악기, 고제3기의 이리듐 함량 외에 다른 근거를 활용하지는 않았지만 말이다.

반물질과 물질이 쌍소멸하면서 생성된 이리듐이 지질학상의 수치와 딱 맞아떨어지는지 계산해 보지는 않았다. 그러나 점진적인 진화에 대해서는 비교적 부정적인 입장이다. 호모사피엔스도 석기, 청동기, 철기, 증기기관, 전기, 원자력 시대를 거쳐 정보화 시대까지 이르렀다. 그러나 확실한 것은 이런 시대를 거치는 중에도 호모사피엔스는 계속 호모사피엔스였다는 것이다. 기술은 진보했지만 대뇌의 진화는 뚜렷하지 않다. 호모에렉투스가 어떻게 호모사피엔스로 변했는지 지금도 확실하지 않다. 어쩌면 유전자의 돌연변이가 원인일 수도 있다. 개미와 공룡의 공생은 유전자변이를 일으키지 않았다. 그렇기 때문에 공룡과 개미가 더 지혜로운 생물이 되는 데는 사실 5만 년의 시간도 충분하지 않을 것이다. 물론 SF는 SF일 뿐이다. 과학의 기준을 SF에 요구한다면 SF는 존재할 수 없을 것이다.

두 번째 이야기인 「운명」 역시 백악기의 사건을 소재로 삼았다. 이번에는 대멸종이 일어나지 않는다. 공룡의 멸종을 막은 구세주는 알고 보니 우주에서 신혼여행 중이었던 부부였다. 그들은 실수로 웜홀을 통해 6500만 년 전으로 간다. 그런데 하필이면 딱 그 순간, 지구로 접근하는 소행성을 발견하게 된다. 그들은 지구를 구하겠다는 선한 마음으로 소행성을 궤도에서 이탈시켰고 지구는 충돌을 피한다. 공룡은 그렇게 구출되었고 두 사람은 공룡의 세기를 목격하게 된다. 돌아가는 방법을 찾던 부부는 공룡이 통치하는 신세계를 만나게 되는데, 이 세계에서는 인간이 공룡의 동물원 안에서 관상용 동물로 변해 있다.

나는 다중우주를 이야기한 「섬유」를 좋아한다. 다중우주가 무엇일까? 물리학자들 사이에서도 아주 다른 두 가지 의견이 대립하고 있다. 한쪽은 고전적인 이론이다. 세상에는 우리 눈에 보이는 우주 외에도 다른 공간이 아주 많이 존재한다는 것이다. 이를 직접 볼 수는 없지만 그 공간은 존재한다고 한다.

그런데 왜 우리 눈에는 보이지 않는 걸까? 우리 눈에 보이는 가장 멀리 있는 빛은 빅뱅으로 비롯된 것이다. 이 빛이 여행하는 거리에는 한계(대략 400억 광년)가 있기 때문에 더 먼 곳에 있는 빛은 우리가 볼 수 없는 것이다. 그런 머나먼 곳에 있는 공간에는 아마 우리의 우주와 완전히 다른 곳이 있을 수 있다. 그리고 그곳의 물리법칙은 우리의 법칙과 전혀 다를 수 있다. 예를 들어 항성 없이 먼지만 존재할 수도 있고 원자 없이 소립자만 존재할 수도 있다.

다중우주의 다른 한쪽은 이해하기가 조금 어렵다. 불가사의하기도 하다. 우리는 미시 세계의 규칙은 양자론*이 주도하고 있다는 것을 안다. 양자론에서는 물리적 현상의 결과가 정해져 있지 않고 우연하다고 본다. 그러나 그것이 확률은 지니고 있다고 본다. 예를 들어 당신이 길거리에서 한 여성과 마주쳤다고 가정해 보자. 그녀는 당신의 친구가 될 수도 있고, 그냥 어깨를 스친 사이일 뿐 평생 다시 만나지 않을 수도 있다.

* 양자역학을 기초로 하여 전개된 물리 이론을 통틀어 이르는 말이다.

이런 사건의 불확정성에 대해서 아주 기상천외한 다중우주론적 해석도 있다. 이 이론에서는 생각할 수 있는 모든 사건이 전부 다 일어난다고 해석한다. 같지 않은 결과가 각자 다른 우주에서 나타나는 것이다. 마찬가지로 예를 들자면 당신이 한 여성과 마주쳤을 때 서로 인사하고, 또 동시에 스쳐 지나가게 된다. 첫 번째 우주에서는 둘이서 아는 사이가 되고, 두 번째 우주에서는 스쳐 지나가는 것이다. 바꾸어 이야기하면 우주가 아주 많이 존재하고 우주 하나하나마다 여러분이 존재한다는 말이다. 그저 각 우주 속에 있는 여러분의 삶이 다를 뿐인 것이다.

다중우주에는 상당히 많은 우주가 있지만 여러분이 존재하지 않는 우주도 있다. 여러분의 부모님이 서로 만나지 않았다면 그 우주에서는 여러분이 태어나지 않았을 테니 말이다.

「꿈의 바다」는 류츠신의 대예술 3부작 중 한 작품이다. 다른 두 편 중 한 편은 『우주 탐식자』에 실린 「시 구름」이고 나머지 한 편은 이 시리즈에 포함되지 않은 「환락송」이다. 각각 조각, 시가, 음악 등 예술을 소재로 삼았다. 대예술 3부작은 공상 과학이라기보다 예술에 관한 동화라고 하는 편이 더 어울린다.

이론물리학자 리먀오

옮긴이 박미진
동국대학교 중어중문학과를 졸업하고 톈진사범대학에서 수학했다. 중국어 강의와 무역 관련 일을 하다가 지금은 한국관광공사 소속 중국어 전문 관광통역안내사로 활동하며 유커들에게 한국을 널리 알리고 있다.
국내 독자들과 함께 읽고 싶은 중국 원서의 출판 기획 및 번역 작업 역시 활발히 진행하고 있다. 옮긴 책으로는 『안녕, 우울』『서른, 노자를 배워야 할 시간』『마윈의 충고』『큰소리치지 않고 아들 키우는 100가지 포인트』 등 다수가 있다.

세계의 끝

초판 1쇄 인쇄일 2019년 7월 3일
초판 1쇄 발행일 2019년 7월 15일

지은이 류츠신
옮긴이 박미진
펴낸이 정은영
편집 김정택
마케팅 이재욱 백민열 이혜원 하재희
제작 홍동근

펴낸곳 (주)자음과모음
출판등록 2001년 11월 28일 제2001-000259호
주소 04047 서울 마포구 양화로6길 49
전화 편집부 02) 324-2347 경영지원부 02) 325-6047
팩스 편집부 02) 324-2348 경영지원부 02) 2648-1311
E-mail jamoteen@jamobook.com

ISBN 978-89-544-3990-9 (44820)
978-89-544-3968-8 (set)

이 도서의 국립중앙도서관 출판시도서목록(CIP)은 서지정보유통지원시스템 홈페이지(http://seoji.nl.go.kr)와 국가자료공동목록시스템(http://www.nl.go.kr/kolisnet)에서 이용하실 수 있습니다.(CIP제어번호: CIP2019022781)